Navegando 1

Workbook

Teacher's Edition

Karin D. Fajardo

EMCParadigm Publishing

Saint Paul, Minnesota

Product Manager
James F. Funston

Associate Editor
Alejandro Vargas Bonilla

Editorial Consultant
David Thorstad

Layout and Design
Mori Studio Inc.

Cartoon Illustrator
Kristen M. Copham Kuelbs

The Internet is a fast-paced technology, and Web pages and Web addresses are constantly changing or disappearing. You may need to substitute different addresses from the ones given in the activities throughout this workbook.

ISBN 0-8219-2802-3

Published by EMC/Paradigm Publishing
875 Montreal Way
St. Paul, Minnesota 55102
800-328-1452
www.emcp.com
E-mail: educate@emcp.com

Printed in the United States of America
1 2 3 4 5 6 7 8 9 10 XXX 09 08 07 06 05 04

Capítulo 1

Lección A

1 ¡Hola!

Unscramble the following conversation between two new students. Number each line 1–6 to show the correct order.

___1___ ¡Hola! ¿Cómo te llamas?

___7___ ¡Adiós, Natalia!

___3___ Yo me llamo Luis.

___5___ Se escribe con ele mayúscula, u, i, ese.

___6___ Hasta luego, Luis.

___4___ ¡Mucho gusto! ¿Cómo se escribe Luis?

___2___ Me llamo Natalia. ¿Y tú?

2 ¿Cómo se escribe?

Look at the following listing of the editorial staff of a Spanish-language magazine. Find the first name that corresponds to each clue and write it in the space provided.

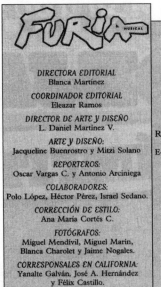

DIRECTORA EDITORIAL
Blanca Martínez

COORDINADOR EDITORIAL
Eleazar Ramos

DIRECTOR DE ARTE Y DISEÑO
L. Daniel Martínez V.

ARTE Y DISEÑO:
Jacqueline Buenrostro y Mitzi Solano

REPORTEROS:
Oscar Vargas C. y Antonio Arciniega

COLABORADORES:
Polo López, Héctor Pérez, Israel Sedano.

CORRECCIÓN DE ESTILO:
Ana María Cortés C.

FOTÓGRAFOS:
Miguel Mendívil, Miguel Marín,
Blanca Charolet y Jaime Nogales.

CORRESPONSALES EN CALIFORNIA:
Yanalte Galván, José A. Hernández
y Félix Castillo.

CORRESPONSAL MONTERREY:
Sara Sánchez

DIRECTOR GENERAL DE VENTAS DE PUBLICIDAD INTERNACIONAL:
Roberto Sroka

GERENTE DE VENTAS DE PUBLICIDAD INTERNACIONAL:
José R. Vila

Tel: (305) 871 6400 Ext. 214
Conmutador: (525) 261 2670
Redacción: (525) 261 2634 y 261 2635.
Fax 261 2730.
E-mail: furia.musical@editorial.televisa.com.mx

FURIA MUSICAL ES UNA PUBLICACIÓN DE EDITORIAL TELEVISA

VICEPRESIDENTE DE OPERACIONES USA Y SUDAMÉRICA
Eduardo Michelsen

VICEPRESIDENTE EDITORIAL
Irene Carol

VICEPRESIDENTE DE OPERACIONES
Raúl Braulio Martínez

VICEPRESIDENTE DE ADMINISTRACIÓN Y FINANZAS
Sergio Carrera Dávila

1. Se escribe con i griega mayúscula.
   Yanalte

2. Se escribe con hache mayúscula.
   Héctor

3. Se escribe con eme mayúscula, i, te, zeta, i.
   Mitzi

4. Se escribe con equis minúscula.
   Félix

5. Se escribe con u con acento.
   Raúl

3 Sopa de letras

In the word square find and circle ten Spanish names. The words may read vertically, horizontally or diagonally.

Z	A	W	S	D	G	H	K	Q	Ú
O	P	I	L	A	R	É	P	O	I
X	C	F	V	F	B	N	M	Á	R
V	É	E	D	E	G	U	H	L	A
E	S	D	O	L	O	R	E	S	Q
J	A	E	R	I	T	Y	R	F	U
O	U	W	B	P	P	G	N	S	E
R	Z	A	T	E	A	I	Á	D	L
G	C	V	N	Y	B	A	N	F	G
E	Q	Ú	S	É	L	C	V	É	B
A	U	T	G	L	O	R	I	A	S
R	W	Á	I	X	M	I	N	K	L

4 Saludos y despedidas

Look at the people in the drawing. Based on what you know about gestures of native Spanish speakers when greeting, circle only the number of the illustrations that are culturally authentic.

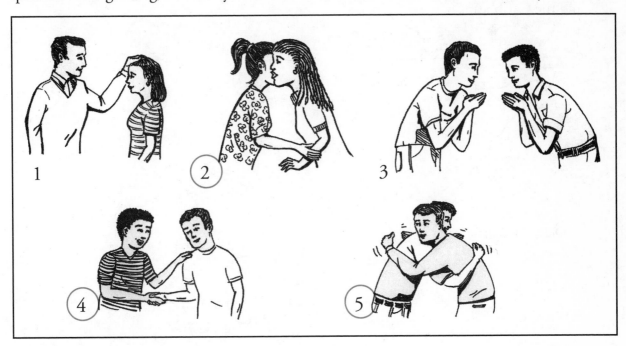

5 Puntuación

Rewrite the following sentences with the correct punctuation.

1. Hola! Cómo te llamas?
   ¡Hola! ¿Cómo te llamas?

2. Mucho gusto, Sonia!
   ¡Mucho gusto, Sonia!

3. ¿Cómo se escribe Javier? Con jota?
   ¿Cómo se escribe Javier? ¿Con jota?

4. Yo me llamo Antonio. ¿Y tú.
   Yo me llamo Antonio. ¿Y tú?

5. Hasta luego, Beatriz!
   ¡Hasta luego, Beatriz!

6. ¡Adiós, Ricardo.
   ¡Adiós, Ricardo!

6 América del Norte, América Central y el Caribe

Identify the Spanish-speaking countries in the following map. Write the name of each country in the space provided. You may refer to the maps in the textbook of Central America, Mexico and the Caribbean.

Golfo de México

1.

Océano Pacífico

8.

9.

10.

2. 3.

5.

4.

6. 7.

| Costa Rica | El Salvador | Honduras | Nicaragua | Puerto Rico |
| Cuba | Guatemala | México | Panamá | República Dominicana |

1. __México__

2. __Guatemala__

3. __Honduras__

4. __El Salvador__

5. __Nicaragua__

6. __Costa Rica__

7. __Panamá__

8. __Cuba__

9. __(la) República Dominicana__

10. __Puerto Rico__

7 Europa, África y América del Sur

Write the names of the Spanish-speaking countries indicated by each number. Refer to the maps in the textbook of Europe, Africa and South America.

2. Venezuela

1. Colombia

3. (el) Ecuador

6. (el) Paraguay

4. (el) Perú

5. Bolivia

8. (el) Uruguay

7. Chile

9. (la) Argentina

10. España

11. Guinea Ecuatorial

8 Matemáticas

Write a number word in Spanish to answer each math problem.

MODELO   1 + 2 = <u>tres</u>

1. 2 + 3 = <u>cinco</u>

2. 4 + 5 = <u>nueve</u>

3. 9 – 2 = <u>siete</u>

4. 10 x 2 = <u>veinte</u>

5. 6 + 6 = <u>doce</u>

6. 8 x 2 = <u>dieciséis</u>

7. 19 – 9 = <u>diez</u>

8. 5 x 3 = <u>quince</u>

9. 12 – 4 = <u>ocho</u>

10. 10 + 4 = <u>catorce</u>

9 Más números

Following the pattern, write the next number word.

MODELO   cuatro, ocho, doce, <u>dieciséis</u>

1. dos, cuatro, seis, ocho, <u>diez</u>

2. cero, cinco, diez, quince, <u>veinte</u>

3. uno, cinco, nueve, trece, <u>diecisiete</u>

4. veinte, dieciocho, dieciséis, <u>catorce</u>

5. quince, catorce, trece, doce, <u>once</u>

6. tres, seis, nueve, doce, <u>quince</u>

7. doce, catorce, dieciséis, <u>dieciocho</u>

8. diecinueve, diecisiete, quince, <u>trece</u>

Nombre: _____ Fecha: _____

10 ¿Cuántos años tienes?

You have just asked the following students their ages. Write their responses, using the cues provided.

MODELO   Ana / 13
Tengo trece años.

1. Roberto / 15
   Tengo quince años.

2. Marcos / 17
   Tengo diecisiete años.

3. Claudia / 14
   Tengo catorce años.

4. Elena / 16
   Tengo dieciséis años.

5. Diego / 12
   Tengo doce años.

6. Marta / 18
   Tengo dieciocho años.

11 ¿De dónde eres?

Imagine you are at a book convention where you ask several well-known Spanish-speaking writers where they are from. Following the model, write each response in the space provided.

MODELO   Isabel Allende / Chile
Soy de Chile.

1. Julia Álvarez / República Dominicana
   Soy de (la) República Dominicana.

2. Carlos Fuentes / México
   Soy de México.

3. Gabriel García Márquez / Colombia
   Soy de Colombia.

4. Gary Soto / Estados Unidos
   Soy de (los) Estados Unidos.

5. Edgar Allan García / Ecuador
   Soy de(l) Ecuador.

6. Sandra Scoppettone / Argentina
   Soy de (la) Argentina.

7. Mario Vargas Llosa / Perú
   Soy de(l) Perú.

8. Esmeralda Santiago / Puerto Rico
   Soy de Puerto Rico.

12 Sí, soy de la capital

Match each question with the correct response.

1. __B__ ¿Eres del Perú?

2. __D__ ¿Eres de Nicaragua?

3. __A__ ¿Eres de Colombia?

4. __E__ ¿Eres de la República Dominicana?

5. __C__ ¿Eres de Chile?

A. Sí, soy de la capital, Bogotá.

B. Sí, soy de la capital, Lima.

C. Sí, soy de la capital, Santiago.

D. Sí, soy de la capital, Managua.

E. Sí, soy de la capital, Santo Domingo.

13 Soy de...

How would each person say where he or she is from? Following the model, write the response in the space provided. You might want to refer to the maps in the textbook.

MODELO   Soy de la Ciudad de México, la capital de México.

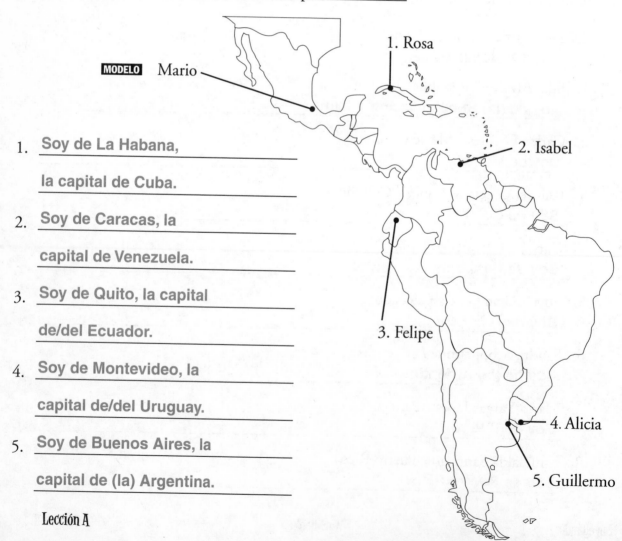

1. Soy de La Habana, la capital de Cuba.

2. Soy de Caracas, la capital de Venezuela.

3. Soy de Quito, la capital de/del Ecuador.

4. Soy de Montevideo, la capital de/del Uruguay.

5. Soy de Buenos Aires, la capital de (la) Argentina.

Nombre: _____ Fecha: _____

14 Los cognados

Look at the following Web site of a hotel. Find the Spanish words that are cognates to the list of English words below. Write each word in the corresponding space.

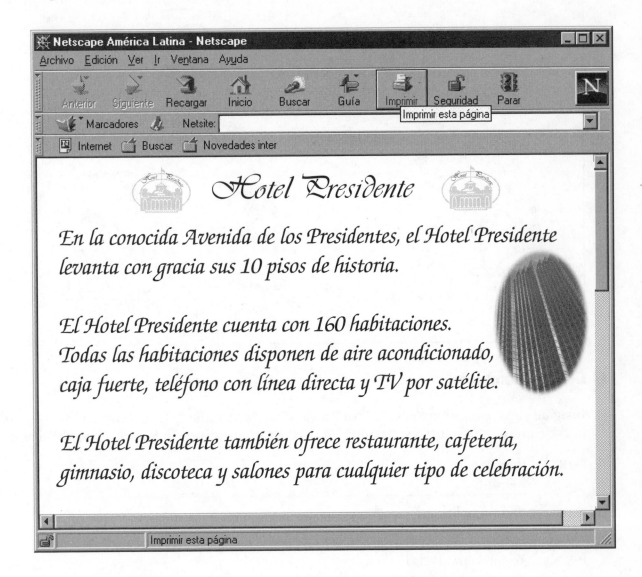

1. satellite **satélite** _____

2. president **presidente** _____

3. history **historia** _____

4. restaurant **restaurante** _____

5. celebration **celebración** _____

6. telephone **teléfono** _____

7. air **aire** _____

8. cafeteria **cafetería** _____

9. direct **directa** _____

10. discotheque **discoteca** _____

15 Oportunidades

Draw a circle around the professions where Spanish might be needed.

16 Diálogo completo

Imagine you are meeting Pedro, a Spanish-speaking student, for the first time. Write your side of the conversation in the spaces provided. Make sure the dialog follows a logical sequence.

PEDRO: ¡Hola!

TÚ: **¡Hola!**

PEDRO: ¿Cómo te llamas?

TÚ: **Me llamo (*student's name*). ¿Y tú?**

PEDRO: Yo me llamo Pedro.

TÚ: **Mucho gusto, Pedro.**

PEDRO: Mucho gusto. ¿De dónde eres?

TÚ: **Soy de (*answers will vary*). ¿Y tú? ¿Eres de aquí?**

PEDRO: No. Yo soy de El Salvador. ¿Cuántos años tienes?

TÚ: **Tengo (*student's age*). ¿Y tú?**

PEDRO: Yo tengo quince años.

TÚ: **Hasta luego.**

PEDRO: Adiós.

Lección B

1 ¿Qué tal?

Choose an appropriate response to each statement or question on the left.

___B___ 1. Buenas tardes.   A. Hasta mañana.   B. Buenas tardes, señora.

___A___ 2. ¿Qué tal?   A. Bien, gracias.   B. Me llamo Carmen.

___A___ 3. Bien, ¿y tú?   A. Estoy regular.   B. Buenas noches.

___B___ 4. ¿Cómo están?   A. Buenas tardes.   B. Mal, muy mal.

___A___ 5. Hasta mañana.   A. Hasta pronto.   B. Buenos días.

___B___ 6. Adiós.   A. ¡Hola!   B. Hasta luego.

___B___ 7. Buenas noches.   A. Bien, ¿y tú?   B. Hasta mañana.

2 Hasta mañana

Complete each sentence logically with the appropriate word.

1. Buenos __días__

2. __Buenas__ tardes.

3. ¿__Cómo__ están Uds.?

4. Estoy mal, muy __mal__.

5. ¿__Qué__ tal?

6. Bien, __gracias__

7. Buenas noches, __Señor(a)__ Torres.

8. __Hasta__ pronto, Juan.

9. ¿Cómo está __Ud.__, Sra. Chang?

10. __Buenas__ noches, Anita.

3 Saludos y despedidas

Look at the pictures below and think of what the people might be saying to each other. Write the expressions that best fit the situation inside the speech bubbles.

Answers will vary.

4 Los saludos en el mundo hispano

Circle the greetings that are appropriate for each time of the day.

8:00 A.M.	*Muy buenos días.* Buenas. Buenos. **Muy buenas.** *Hola.*
2:30 P.M.	*Hola.* **Buenos días.** **Buenas.** Muy buenas. *Muy buenas noches.*
7:00 P.M.	Buenas tardes. Buenas. **Buenas noches.** Buenos. *Muy buenas.*

5 Saludos informales y formales

Are the following expressions appropriate to greet a friend or a person whom you would address with a title? Indicate which of the expressions are formal and which are informal. Write **F** for formal or **I** for informal in the space provided.

1. __F__ Muy buenos días.

2. __I__ ¿Qué tal?

3. __I__ ¿Cómo estás?

4. __I__ ¡Hola!

5. __F__ ¿Cómo está Ud.?

6. __F__ Buenas tardes.

6 Pronombres personales

How would you address the following people in Spanish? Write *tú, usted, ustedes, vosotros* or *vosotras* in the space provided.

1. Marta and Carlos, your friends from Mexico: ustedes _____

2. your little brother: tú _____

3. the parent of a classmate: usted _____

4. Victoria and Josefina, your friends from Spain: vosotras _____

5. the governor of your state: usted _____

6. Hugo and Armando, your friends from Spain: vosotros _____

7 Crucigrama

Complete the crossword puzzle with the correct spelling of the numbers provided.

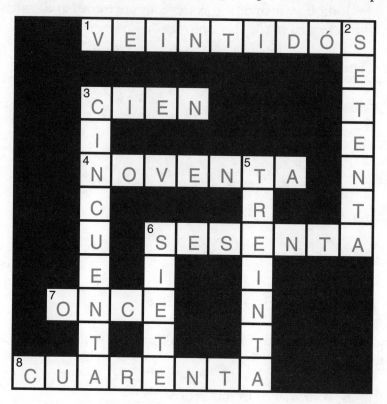

Horizontal

1. 22
3. 100
4. 90
6. 60
7. 11
8. 40

Vertical

2. 70
3. 50
5. 30
6. 7

8 Cheques personales

Complete the following checks by writing out each sum.

Bancomer   **CHEQUE NO. 6654**

PÁGUESE A LA
ORDEN DE _____I.N. E._____ $ __55.00__

EN LETRAS LA
SUMA DE _____cincuenta y cinco_____ PESOS.

_____

6654 7654 01001 007634521

Bancomer   **CHEQUE NO. 6655**

PÁGUESE A LA
ORDEN DE _____Joaquín Sandoval_____ $ __26.00__

EN LETRAS LA
SUMA DE _____veintiséis_____ PESOS.

_____

6654 7654 01001 007634521

Bancomer   **CHEQUE NO. 6656**

PÁGUESE A LA
ORDEN DE _____Novedades_____ $ __87.00__

EN LETRAS LA
SUMA DE _____ochenta y siete_____ PESOS.

_____

6654 7654 01001 007634521

---

9 Números de teléfono

Write the telephone number of each restaurant given, following the model.

MODELO   Las Rejas: <u>dieciséis, diez, ochenta y nueve</u>

1. Mesón Casas Colgadas:
   veintidós, treinta y cinco, cincuenta y dos

2. Adolfo:
   treinta y dos, setenta y tres, quince

3. Gran Mesón:
   veintidós, setenta y dos, treinta y nueve

4. Amparito Rico:
   veintiuno, cuarenta y seis, treinta y nueve

5. Minaya:
   veintiuno, ochenta y dos, cincuenta y tres

6. Mesón de Pincelín:
   treinta y cuatro, sesenta, cero siete

10 Con cortesía

Look at the people in the drawing and imagine what they would say in each situation. Choose an appropriate expression from the word box and write it inside the speech bubble.

> *Con permiso.*   *Perdón.*   *Con mucho gusto.*

1.   2.   3.

11 Las horas del día

Sort the following times of day from earliest to latest. Number each line 1–8 to show the correct order.

  5   1. Son las dos y media de la tarde.

  6   2. Son las nueve de la noche.

  3   3. Es mediodía.

  2   4. Son las nueve menos veinte de la mañana.

  4   5. Son las dos menos diez de la tarde.

  8   6. Es medianoche.

  7   7. Son las diez y cuarto de la noche.

  1   8. Son las siete y diez de la mañana.

12 ¿Qué hora es?

What time is it? Look at each clock and write the correct time in the space provided.

1.  **Son las siete y veinticinco.** _____

2.  **Son las cuatro y diez.** _____

3.  **Son las cinco y media.** _____

4. 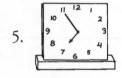 **Son las dos menos cuarto.** _____

5. **Son las siete menos cinco.** _____

6. **Es la una y cuarto.** _____

1\3 La geografía y la hora

Did you know that when it is seven o'clock in the morning in California, it is already four o'clock in the afternoon in Spain? Look at the following map showing various time zones. Use the clocks at the bottom of the map to help you answer each question.

MODELO   Es mediodía en España. ¿Y en Guinea Ecuatorial?
             <u>Es la una de la tarde en Guinea Ecuatorial.</u>

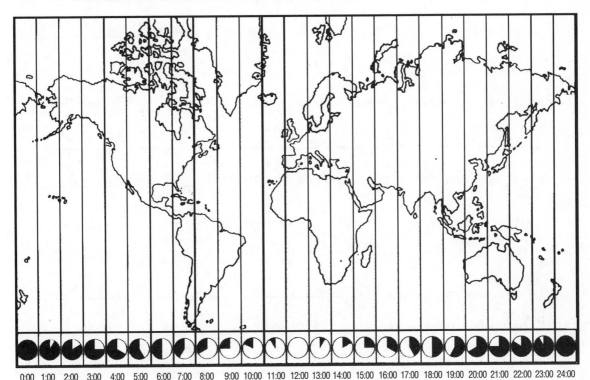

0:00 1:00 2:00 3:00 4:00 5:00 6:00 7:00 8:00 9:00 10:00 11:00 12:00 13:00 14:00 15:00 16:00 17:00 18:00 19:00 20:00 21:00 22:00 23:00 24:00

1. Es mediodía en España. ¿Y en Cuba?

    Son las siete de la mañana en Cuba.

2. Son las ocho de la mañana en México, D.F. ¿Y en Panamá?

    Son las diez de la mañana en Panamá.

3. Son las tres de la tarde en Chile. ¿Y en Guatemala?

    Son las dos de la tarde en Guatemala.

4. Son las seis de la noche en la República Dominicana. ¿Y en Nicaragua?

    Son las cinco de la tarde en Nicaragua.

5. Es medianoche en Colombia. ¿Y en España?

    Son las cinco de la mañana en España.

14 Diálogo completo

Use the cues provided to create a dialog between Sara y Sergio, two friends who bump into each other in the mall. **Possible answers:**

SERGIO: *(excuses himself as he bumps into someone)* (1) **Perdón.** _____

_____

SARA: *(calls out Sergio's name as she recognizes him and says hello)* (2) **¡Sergio! ¡Hola!** ___

_____

SERGIO: *(greets Sara and asks her how she is doing)* (3) **Hola, Sara. ¿Cómo estás?** ___

_____

SARA: *(responds that she is very well and asks how he is)* (4) **Muy bien. ¿Y tú?** ___

_____

SERGIO: *(responds that he is so-so)* (5) **Regular.** _____

_____

SARA: *(asks what time it is)* (6) **¿Qué hora es?** _____

_____

SERGIO: *(responds it is two fifteen in the afternoon)* (7) **Son las dos y cuarto**

de la tarde. _____

SARA: *(thanks him and politely lets him know she's about to walk away)* (8) **Gracias.** ___

Con permiso. _____

SERGIO: *(says see you later)* (9) **Hasta luego.** _____

SARA: *(says good-bye)* (10) **Adiós.** _____

Capítulo 2

Lección A

1 Preguntas y respuestas

Match each question on the left with the most logical response on the right.

___E___ 1. ¿Quién es él?   A. Isabel Gómez.

___A___ 2. ¿Cómo se llama ella?   B. Me llamo Rafael.

___F___ 3. ¿De dónde son ellos?   C. Él es de Chicago.

___B___ 4. ¿Quién eres tú?   D. No, ellas son de México.

___C___ 5. ¿De dónde es él?   E. Él es Juan.

___D___ 6. ¿Son las chicas de aquí?   F. Ellos son de California.

2 ¿Quién es?

Diana and Alejo are at a party organized by the International Club. Complete the following conversation between them with the appropriate words.

ella   eres   llama   dónde   él   quién   es   soy   de

DIANA: Alejo, ¿(1)__quién_____ es?

ALEJO: ¿Quién? ¿Ella?

DIANA: No, (2)__él_____.

ALEJO: Se (3)__llama_____ Ricardo.

DIANA: ¿De (4)__dónde_____ es él?

ALEJO: Es (5)__de_____ Venezuela.

DIANA: ¿Y (6)__ella_____?

ALEJO: Laura (7)__es_____ de Puerto Rico.

DIANA: ¿Y tú, Alejo? ¿De dónde (8)__eres_____?

ALEJO: Yo (9)__soy_____ de Nicaragua.

3 La influencia hispana en los Estados Unidos

Circle the words that have been borrowed from Spanish.

(chile)   (patio)   tennis   university   (rodeo)   (adobe)   encyclopedia

waffle   chocolate   umbrella   circus   (plaza)   (mosquito)   dinosaur

4 Geografía

Write the names of the states indicated by each number next to their English equivalent.

1. **Montana** _____ (*Mountain*)

2. **Nevada** _____ (*Snow-covered*)

3. **Colorado** _____ (*Red-colored*)

4. **Texas** _____ (*Tiles*)

5. **Florida** _____ (*Flowered*)

5 Pronombres personales

Rewrite the following sentences, replacing the underlined words with an appropriate subject pronoun.

MODELO   Joaquín y yo somos de Texas.
                Nosotros somos de Texas.

1. María González es de la Florida.

    Ella es de la Florida.
    _____

2. El señor y la señora López son de California.

    Ellos son de California.
    _____

3. Jorge es de la República Dominicana.

    Él es de la República Dominicana.
    _____

4. Magdalena y Pilar son de Arizona.

    Ellas son de Arizona.
    _____

5. Miguel y yo somos de los Estados Unidos.

    Nosotros somos de los Estados Unidos.
    _____

6. Marcos y Ronaldo son de Nueva York.

    Ellos son de Nueva York.
    _____

7. Me llamo Luisa. Olga y yo somos de Cuba.

    Me llamo Luisa. Nosotras somos de Cuba.
    _____

8. El Sr. Morales es de Puerto Rico.

    Él es de Puerto Rico.
    _____

9. La señora Núñez y la señorita Chávez son de El Paso.

    Ellas son de El Paso.
    _____

10. Tú y yo somos de aquí.

    Nosotros/as somos de aquí.
    _____

6 ¿De dónde son?

Write six sentences, telling where the following people are from.

MODELO   <u>Alma es de Venezuela.</u>

1. Cristina y Elvira
2. Andrés
3. tú
4. Sofía
5. nosotros
6. Miguel y Patricia

MODELO Alma

1. **Cristina y Elvira son de Colombia.**
2. **Andrés es de(l) Ecuador.**
3. **Tú eres de(l) Perú.**
4. **Sofía es de Bolivia.**
5. **Nosotros somos de Chile.**
6. **Miguel y Patricia son de (la) Argentina.**

7 No

Your friend is mistaken about the place of origin of the following famous people. Make the statements negative and then tell where they are from, using the cues provided.

MODELO   Antonio Banderas es de México. (España)
<u>Antonio Banderas no es de México. Es de España.</u>

1. Celia Cruz es de Puerto Rico. (Cuba)

   Celia Cruz no es Puerto Rico. Es de Cuba.

2. Frida Kahlo y Diego Rivera son de Argentina. (México)

   Frida Kahlo y Diego Rivera no son de Argentina. Son de México.

3. Alex Rodríguez es de California. (Nueva York)

   Alex Rodríguez no es de California. Es de Nueva York.

4. Rigoberta Menchú es de Chile. (Guatemala)

   Rigoberta Menchú no es de Chile. Es de Guatemala.

5. Shakira y Juanes son de España. (Colombia)

   Shakira y Juanes no son de España. Son de Colombia.

8 A escribir

Use an item from each column to write five sentences.

yo	es	de México
Ud.	soy	de Nueva York
Juan y Ana	eres	de San Antonio
nosotros	son	de Puerto Rico
tú	somos	de los Estados Unidos

1. **Answers will vary.** _____

2. _____

3. _____

4. _____

5. _____

9 ¿Cómo se dice?

Match each question on the left with the correct response on the right.

__B__ 1. ¿Cómo se dice *backpack?*   A. Quiere decir *notebook.*

__F__ 2. ¿Cómo se dice *pencil?*   B. Se dice *mochila.*

__A__ 3. ¿Qué quiere decir *cuaderno?*   C. Se dice *ventana.*

__C__ 4. ¿Cómo se dice *window?*   D. Quiere decir *chair.*

__E__ 5. ¿Qué quiere decir *pizarra?*   E. Quiere decir *chalkboard.*

__D__ 6. ¿Qué quiere decir *silla?*   F. Se dice *lápiz.*

10 ¿Quién es?

Look at the drawing and read the questions. Write the name of the person in the space provided.

Sr. Vargas

Marta

Alejandro

Sr. Castro

Silvia

Mauricio

1. ¿Quién es la chica con el libro?   Marta

2. ¿Quién es el señor con el bolígrafo?   el Sr. Castro

3. ¿Quién es el chico con el papel?   Alejandro

4. ¿Quién es el señor con el periódico?   el Sr. Vargas

5. ¿Quién es la chica con la mochila?   Silvia

6. ¿Quién es el chico con el lápiz?   Mauricio

Nombre: ______________________________________ **Fecha:** ____________________

Crucigrama

11 Complete the following crossword puzzle with the Spanish words that correspond to the pictures.

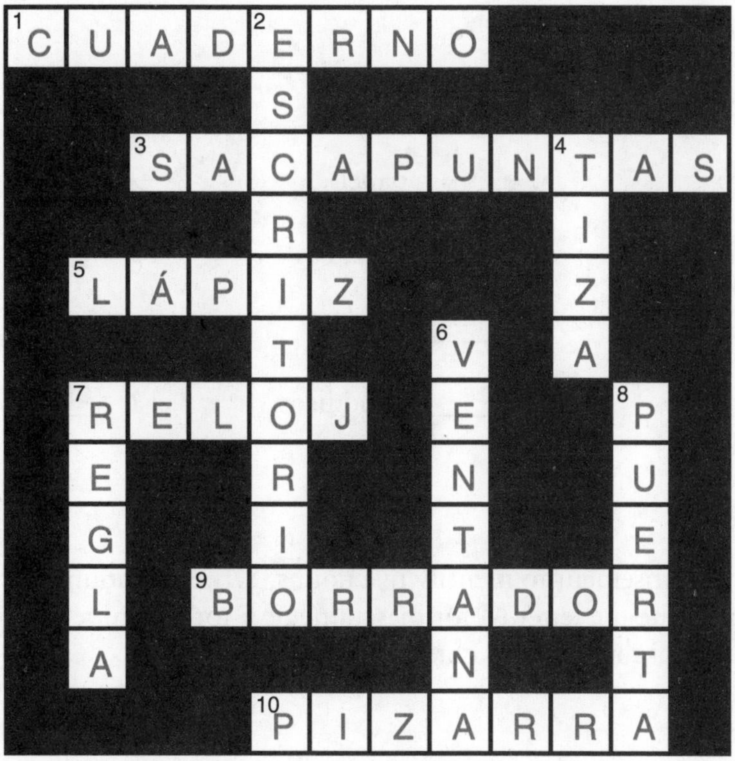
1 CUADERNO
2 ESCRITORIO
3 SACAPUNTAS
4 TIZA
5 LÁPIZ
6 VENTANA
7 RELOJ
7 REGLA
8 PUERTA
9 BORRADOR
10 PIZARRA

Horizontal

1. 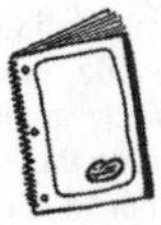

3. 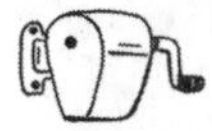

5. 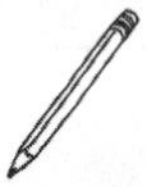

7. 

9. 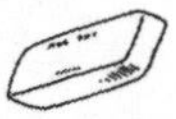

10. 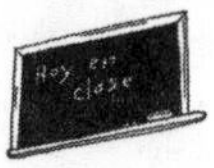

Vertical

2. 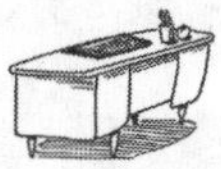

4. 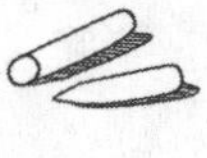

6. 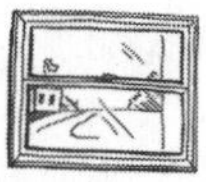

7. 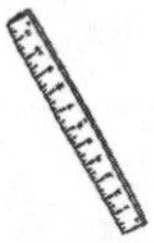

8. 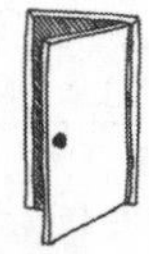

12 Artículos definidos

Write *el, la, los* or *las* in the space provided.

MODELO   <u>el</u> cuaderno

1. <u>el</u> bolígrafo
2. <u>las</u> amigas
3. <u>el</u> profesor
4. <u>los</u> libros

5. <u>el</u> papel
6. <u>las</u> mochilas
7. <u>el</u> reloj
8. <u>los</u> periódicos

9. <u>las</u> paredes
10. <u>la</u> silla
11. <u>las</u> chicas
12. <u>el</u> borrador

13 Identifica

Skim the following advertisement to identify five nouns. Write the nouns in the space provided and next to each one, write the letter **M** for masculine or **F** for feminine. Use the definite articles and the endings of the nouns as clues.

MODELO   respuesta—F

RENAULT Scénic 2

Todo comenzó el día en que me compré el Scénic 2. Apenas me subí sentí el confort de un auto distinto. La posición de manejo sobreelevada, la gran visibilidad, la agilidad, la respuesta de su motor 2.0 L de 140 cv y la funcionalidad de todos sus comandos. Los asientos traseros individuales, el gran espacio interior y sobre todo la seguridad. Sentí que encontré otro espacio para mi vida, mi nueva vida. www.scenic2.com.ar

Salí, vivilo todo.

Possible answers:

1. día—M; confort—M;

2. auto—M; posición—F;

3. visibilidad—F; agilidad—F;

4. motor—M; funcionalidad—F;

5. asientos—M; espacio—M; seguridad—F

14 Plurales

Change the following words to the plural form.

> **MODELO**   un libro → <u>unos libros</u>

1. un papel → <u>unos papeles</u>

2. un lápiz → <u>unos lápices</u>

3. una mochila → <u>unas mochilas</u>

4. una revista → <u>unas revistas</u>

5. un profesor → <u>unos profesores</u>

6. una profesora → <u>unas profesoras</u>

15 ¿Qué son?

Identify the illustrated objects, following the model.

> **MODELO**    <u>Es una regla.</u>

1.   <u>Es un reloj.</u>

2.   <u>Es un cuaderno.</u>

3.   <u>Es un bolígrafo.</u>

4.    <u>Son unos lápices.</u>

5.    <u>Son unos libros.</u>

16 ¿Qué hay en la clase?

For each item listed, say whether it is found in your classroom. If it is, include how many. Follow the model.

MODELO   mapa: <u>Hay dos mapas. / No hay un mapa.</u>

1. cesto de papeles: <u>Answers will vary.</u>

2. estudiante: _____

3. puerta: _____

4. ventana: _____

5. silla: _____

6. pared: _____

7. sacapuntas: _____

8. reloj: _____

9. pizarra: _____

10. pupitre: _____

17 ¿Qué tienes en la mochila?

Make a list of the school supplies you carry in your backpack. Be sure to include the appropriate indefinite articles.

En mi mochila tengo...

○ Answers will vary.

_____

_____

_____

_____

_____

○ _____

Lección B

1 ¿Qué clase es?

Match each class with its appropriate subject matter.

____F____ 1. matemáticas   A. la historia y la cultura de España

____A____ 2. español   B. los animales y las plantas

____B____ 3. biología   C. Picasso, Monet, Van Gogh

____C____ 4. arte   D. *Romeo y Julieta* de Shakespeare

____E____ 5. música   E. Bach, Mozart, Beethoven

____D____ 6. inglés   F. álgebra, geometría, trigonometría

2 Siete colores

In the word-square puzzle, find and circle seven names of colors. The words may read horizontally, vertically or diagonally.

S	N	V	Y	R	S	A	W	A	T
T	A	E	E	O	D	M	Z	D	E
R	E	R	G	G	T	A	X	U	D
O	F	D	O	R	A	R	A	S	L
J	E	E	C	I	O	I	R	O	
O	R	B	L	S	P	L	E	L	L
Q	J	E	L	I	U	L	G	M	V
U	B	L	A	N	C	O	H	A	R

3 ¿Sí o no?

Read the statements and decide whether they are true or false, based on Elena's class schedule. If the statement is true, write *sí* in the space provided. If it is false, write *no*.

El horario de clases de Elena					
HORA	**LUNES**	**MARTES**	**MIÉRCOLES**	**JUEVES**	**VIERNES**
8:00 A.M.	matemáticas	matemáticas	matemáticas	matemáticas	matemáticas
8:50 A.M.	español	español	español	español	español
10:40 A.M.	historia	historia	historia	historia	historia
11:45 A.M.	inglés	computación	inglés	computación	inglés
12:35 A.M.	almuerzo	almuerzo	almuerzo	almuerzo	almuerzo
1:45 P.M.	biología	biología	biología	biología	biología
2:35 P.M.	arte	música	arte	música	arte

____sí____ 1. Elena tiene seis clases en un día.

____sí____ 2. La clase de matemáticas es a las ocho de la mañana.

____no____ 3. La clase de español es a las diez y cuarenta de la mañana.

____no____ 4. Hay clase de inglés martes y jueves a las doce menos cuarto.

____sí____ 5. No hay clase de música los lunes, miércoles y viernes.

____no____ 6. El almuerzo es a la una y cuarenta y cinco de la tarde.

____sí____ 7. Elena tiene clase de biología a las dos menos cuarto.

____sí____ 8. La clase de computación es a las doce menos cuarto los martes y los jueves.

____no____ 9. Hay clase de historia los lunes, miércoles y viernes a las nueve menos diez de la mañana.

____no____ 10. Las clases de Elena terminan a la una y treinta y cinco de la tarde.

4 Los colegios en el mundo hispano

Read the following statements. Based on what you have learned about schools in Spain, decide whether they refer to a typical high school in the United States or in Spain. Write **U.S.** or **Spain** in the space provided.

_U.S._____ 1. Students actively participate in class.

_U.S._____ 2. Schools offer many extracurricular activities.

_Spain_____ 3. All students follow the same demanding curriculum.

_Spain_____ 4. Courses are taught through lectures.

_U.S._____ 5. Quizzes and exams are common throughout the year.

_Spain_____ 6. A comprehensive exam at the end of the year determines whether a student passes or fails.

5 Sustantivos y adjetivos

For each sentence, underline the noun and circle the adjective. Then, check the appropriate columns to indicate whether it is masculine or feminine and singular or plural. Follow the model.

	Masculine	Feminine	Singular	Plural
MODELO Daniel lleva una camiseta (nueva.)		√	√	
1. Sergio es un estudiante (nuevo.)	√		√	
2. La chica (nueva) es de México.		√	√	
3. Los zapatos son (negros.)	√			√
4. Las paredes son (blancas.)		√		√
5. Ella lleva una blusa (amarilla.)		√	√	
6. Necesito unos lápices (rojos.)	√			√

6 La ropa y los colores

Maricela is talking on her cell phone, describing what people are wearing to the party. Complete her statements with the correct form of the adjective in parenthesis. Be sure the adjective agrees in gender and number with the noun it describes.

MODELO   Arturo lleva una camiseta <u>roja</u>. (rojo)

1. Nuria y Pilar llevan unas blusas __blancas_____. (blanco)

2. Mi amigo Pepe lleva unos calcetines __rojos_____. (rojo)

3. Mabel lleva una falda __amarilla_____. (amarillo)

4. Mauricio lleva unos zapatos __grises_____. (gris)

5. Dos chicos llevan unos jeans __negros_____. (negro)

6. Los pantalones de Selena son __verdes_____. (verde)

7. Yo llevo pantalones __azules_____. Son __nuevos_____. (azul, nuevo)

7 En el colegio

Complete each sentence logically with the appropriate verb form. You will need to use one verb twice.

hablar   llevar   necesitar   terminar   estudiar

MODELO   La señora Sánchez <u>habla</u> inglés y español.

1. Jaime y yo __necesitamos_____ papel para la clase de arte.

2. Los estudiantes __llevan_____ pantalones grises y camisas blancas.

3. La clase de historia __termina_____ al mediodía.

4. ¿__Estudias_____ tú computación?

5. Yo __estudio_____ en el Colegio Cervantes.

6. Gabriela __habla_____ español muy bien.

8 ¿Qué necesitan?

Write a sentence telling what the person(s) need(s). Use the pictures as clues and the correct forms of the verb *necesitar* and the adjective *nuevo*. Follow the model.

MODELO Sara

<u>Sara necesita un lápiz nuevo.</u>

1. nosotros

   Nosotros necesitamos zapatos nuevos.

2.  Pedro

   Pedro necesita una regla nueva.

3. Ana y Lupe

   Ana y Lupe necesitan mochilas nuevas.

4. yo

   Yo necesito un reloj nuevo.

5. Ernesto

   Ernesto necesita un pupitre nuevo.

6. tú

   Tú necesitas una camiseta nueva.

9 Radio Nacional

Answer the questions based on the following schedule for an Argentinian radio station. Note that in Argentina, the 24-hour clock is used. In this system, 14.00 is the same as two o'clock in the afternoon.

MODELO   ¿A qué hora es "De Segovia a…"?
Es a las nueve de la noche.

FM Música

Radio Nacional
6.00: La mañana de Radio Nacional.
9.00: El órgano (A. Gómez).
10.00: Cuadro de situación (S. Crivelli).
11.00: Aproximación a la ópera (Juan Carlos Montero).
13.00: Bailando sobre el Titanic.
14.00: Intimidad con la música.
16.00: Teatro Cervantes.
16.30: Operamante (C. Ratier).
20.00: Discoteca F. M. 96.7
21.00: De Segovia a... con S. Domínguez.
22.00: España y su música (O. Monzo).
23.00: Discoteca.
24.00: Clásicos Siglo XX, con Alicia Terzián.

1. ¿A qué hora es "El órgano"?

   Es a las nueve de la mañana.

2. ¿A qué hora es "Bailando sobre el Titanic"?

   Es a la una de la tarde.

3. ¿A qué hora termina el Teatro Cervantes?

   Termina a las cuatro y media de la tarde.

4. ¿A qué hora es "España y su música"?

   Es a las diez de la noche.

5. ¿Qué hay a las once de la noche?

   Hay "Discoteca".

6. ¿A qué hora es "Clásicos Siglo XX"?

   Es a la medianoche.

10 La computadora

Identify the parts of the computer in the following illustration.

1. __la pantalla__

2. __los diskettes__

3. __el teclado__

4. __la impresora láser__

5. __el ratón__

6. __los discos compactos__

11 Números y direcciones

Your friend is interested in staying at Hotel San Roque, a small hotel in Spain. Use the information in this magazine clipping to answer his questions.

A. DIRECCIÓN: Esteban de Ponte, 32. 38450, Garachico. Tenerife. Tel.: 922 13 34 35. Fax: 922 13 34 06. Web: www.hotelsanroque.com E-mail: info@hotelsanroque.com **B. ACCESOS:** autopista T1 hasta el Puerto de la Cruz. De ahí, tomar la C-820 hasta Icod de los Vinos y Garachico. En el mismo Garachico, seguir indicaciones hasta el hotel, que está a unos 25 kilometros del Puerto de la Cruz. **C. CATEGORÍA:** tres estrellas. **D. INSTALACIONES:** nueve habitaciones dobles, siete dúplex, dos *junior suites* y dos *suites* con baño completo, caja fuerte, minibar, TV, video y equipo de música, sala de lectura y salón social, patio-bar, sauna, solario y piscina climatizada. **E. GASTRONOMÍA:** cocina de mercado, asesorada por el restaurante Celler de Can Roca en Girona. **F. PRECIOS:** doble estándar: 175 €; dúplex: 187 €; *junior suite*: 225 €; *suite*: 247 €. Desayuno incluido.

1. ¿Cuál es el número de teléfono? __922 13 34 35__

2. ¿Cuál es la dirección de correo electrónico? __info@hotelsanroque.com__

3. ¿Cuál es la dirección de Internet? __www.hotelsanroque.com__

4. ¿Cuál es el número de fax? __922 13 34 06__

12 Las notas

Use the grading scale to convert the following grades for your Mexican pen pal. Write S, EX, MB, B, NM or D in the space provided.

__EX__ 1. 90% en matemáticas

__B__ 2. 60% en historia

__S__ 3. 100% en arte

__D__ 4. 40% en música

__MB__ 5. 80% en español

__NM__ 6. 50% en biología

Escala	
10	Superior (S)
9	Excelente (EX)
8	Muy Bueno (MB)
7–6	Bueno (B)
5	Necesita Mejorar (NM)
4–0	Deficiente (D)

13 El verbo *estar*

Complete the following e-mail message with the correct forms of the verb *estar*.

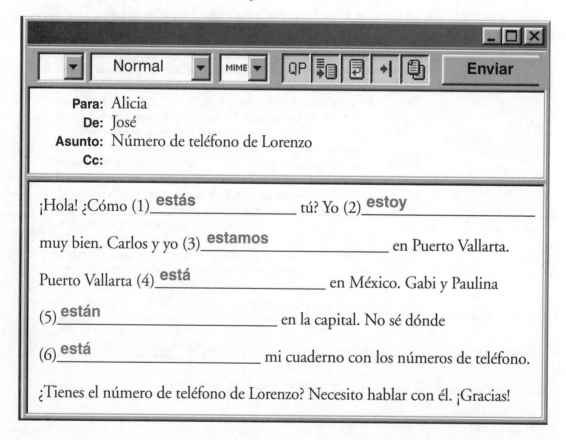

Para: Alicia
De: José
Asunto: Número de teléfono de Lorenzo
Cc:

¡Hola! ¿Cómo (1)__estás__ tú? Yo (2)__estoy__

muy bien. Carlos y yo (3)__estamos__ en Puerto Vallarta.

Puerto Vallarta (4)__está__ en México. Gabi y Paulina

(5)__están__ en la capital. No sé dónde

(6)__está__ mi cuaderno con los números de teléfono.

¿Tienes el número de teléfono de Lorenzo? Necesito hablar con él. ¡Gracias!

14 ¿Dónde está?

Look at the illustration of José's bedroom and answer the questions that follow.

MODELO   ¿Dónde está el reloj?
<u>El reloj está en la pared.</u>

1. ¿Dónde está la computadora?

   Está en el escritorio. _____

2. ¿Dónde está la mochila?

   Está sobre la silla. _____

3. ¿Dónde está el mapa de los Estados Unidos?

   Está en la pared. _____

4. ¿Dónde están los libros?

   Están en la mochila. _____

5. ¿Dónde están los papeles?

   Están en el cesto de papeles. _____

6. ¿Dónde está el disco compacto?

   Está sobre el teclado. _____

15 Diálogo completo

The school newspaper is going to write an article about a school in Mexico, but the reporter only recorded the answers of the student he interviewed. As the editor, write logical questions in the spaces provided. **Possible answers:**

1. **¿Cómo te llamas?** _____

Me llamo Juan Carlos Macedo Olivas.

2. **¿Cuál es tu dirección de correo electrónico?** _____

Mi correo electrónico es JCOlivas@telecom.mex.

3. **¿Cuál es tu número de teléfono?** _____

Es el 9-76-13-32.

4. **¿Cómo se llama tu colegio?** _____

Mi colegio se llama Preparatoria Nevada.

5. **¿Dónde está tu colegio?** _____

Está en Guadalajara, México.

6. **¿Cuántas clases tienes en un día?** _____

Tengo siete clases en un día.

7. **¿A qué hora terminan las clases?** _____

Terminan a las tres de la tarde.

8. **¿Hay un examen mañana?** _____

Sí, mañana hay un examen de historia.

9. **¿A qué hora es el examen?** _____

El examen es a las diez y media de la mañana.

10. **¿Dónde está mi lápiz?** _____

Allí está. Sobre la mesa.

Capítulo 3

Lección A

1 ¿Dónde están?

Where is everyone? Match the phrases in English on the left with the appropriate phrase in Spanish on the right. Write the letter of your choice in the space provided.

__C__ 1. Jorge is depositing a check.

__E__ 2. Margarita is getting her teeth cleaned.

__H__ 3. Laura is checking out a book.

__A__ 4. Gustavo is watching a movie.

__B__ 5. Guillermo is jogging.

__G__ 6. Sr. López is teaching biology.

__F__ 7. Sra. Sainz is resting after a long trip.

__D__ 8. Josefina is getting a flu shot.

A. Está en el cine.

B. Está en el parque.

C. Está en el banco.

D. Está en el médico.

E. Está en el dentista.

F. Está en el hotel.

G. Está en la escuela.

H. Está en la biblioteca.

2 ¡Vamos!

Roberto and Marta are at the park when Rocío shows up. Complete the conversation between them with the appropriate words.

encantada	quiero	simpática	vamos	mañana
por qué	presento	mucho gusto	cuándo	fiesta

MARTA: Allí está mi amiga Rocío. Es una chica (1) __simpática__. ¡Hola, Rocío!

ROCÍO: ¡Hola!

MARTA: Rocío, te (2) __presento__ a Roberto.

ROBERTO: (3) __Mucho gusto__.

ROCÍO: (4) __Encantada__. Saben, hay una (5) __fiesta__ en la escuela. ¿(6) __Por qué__ no vamos?

MARTA: ¿(7) __Cuándo__ es?

ROCÍO: Es (8) __mañana__ a las siete de la noche.

ROBERTO: Yo (9) __quiero__ ir.

MARTA: ¡(10) __Vamos__!

3 De visita en la Ciudad de México

What places could you visit in Mexico City? Match the name of the place in Spanish on the left with the appropriate description in English on the right. Write the correct letter in the space provided.

__C__ 1. el Zócalo

__E__ 2. el Museo Nacional de Antropología

__A__ 3. el Templo Mayor

__D__ 4. el Paseo de la Reforma

__F__ 5. Chapultepec

__B__ 6. las atracciones

A. the main temple of the ancient Aztec capital

B. amusement park rides

C. the main plaza in the center of the city

D. a wide street built by emperor Maximilian

E. exhibits of pre-Columbian cultures

F. a very large park

4 En la fiesta

At a party, how would you introduce the guests? Complete the following introductions logically with the words *te*, *le* or *les*.

MODELO Eugenio, te presento a mi amiga Anabel.

1. Sr. y Sra. Ortega, __les__ presento a la profesora de arte.

2. Arturo, __te__ presento a Sergio, el amigo de Alma.

3. Profesora Prieto, __le__ presento a Vero y Carla.

4. Blanca y Ángela, __les__ presento a Hugo y Raúl.

5. Miguel, __te__ presento al señor Gómez, mi profesor de español.

6. Don Rodrigo, __le__ presento a mi amiga Lupe.

7. Vero y Carla, __les__ presento a doña Violeta.

8. Señor Gómez, __le__ presento a Sergio y Alma.

9. Gabi, __te__ presento al amigo de doña Violeta.

10. Hugo y Raúl, __les__ presento a don Rodrigo.

5 Más presentaciones

Combine elements from each column to write five introductions. Be sure to use contractions when necessary.

MODELO <u>Clara, te presento al señor Portillo.</u>

Clara	te presento a	mis amigos Diego y Tomás
Srta. Guzmán	le presento a	el profesor de computación
Enrique	les presento a	el señor Portillo
don Humberto		doña Esperanza
Sr. y Sra. Ramírez		el estudiante de Honduras
Daniel y Nicolás		el amigo de Fernando

Possible answers:

1. **Srta. Guzmán, le presento al amigo de Fernando.** _____

2. **Enrique, te presento al profesor de computación.** _____

3. **Don Humberto, le presento a mis amigos Diego y Tomás.** _____

4. **Sr. y Sra. Ramírez, les presento al estudiante de Honduras.** _____

5. **Daniel y Nicolás, les presento a doña Esperanza.** _____

6 Mucho gusto

In the following drawing, Silvia is introducing José to the math teacher, Sr. Torres. Complete the speech bubbles with appropriate expressions.

7 Preguntas

Complete the following questions with the appropriate question words.

1. ¿**Cómo** _____ te llamas?

2. ¿**Cuál** _____ es tu dirección de correo electrónico?

3. ¿**Qué** _____ quiere decir la palabra *escuela*?

4. ¿**Quiénes/Cuándo** _____ van al restaurante?

5. ¿**Cuándo/Dónde** _____ es la fiesta de Yolanda?

6. ¿**Dónde** _____ están mis libros de inglés?

7. ¿**Por qué** _____ no vamos al cine mañana?

8. ¿**Cuántos** _____ escritorios hay en la oficina?

8 Más preguntas

Unscramble the words and write complete, logical questions.

MODELO   ¿? / en / el parque / Sofía / camina
             ¿Camina Sofía en el parque?

1. ¿? / el amigo / simpático / de / verdad / Beatriz / es
   El amigo de Beatriz es simpático, ¿verdad?
   _____

2. ¿? / Andrés / Jaime / van / a / y / la fiesta
   ¿Van Andrés y Jaime a la fiesta?
   _____

3. ¿? / sabe / la fiesta / Julia / cuándo / es
   ¿Sabe Julia cuándo es la fiesta?
   _____

4. ¿? / es / mañana / no / la fiesta
   La fiesta es mañana, ¿no?
   _____

5. ¿? / Uds. / la biblioteca / van / a
   ¿Van Uds. a la biblioteca?
   _____

6. ¿? / las dos / la clase / termina / a
   ¿Termina la clase a las dos?
   _____

9 Viaje a Machu Picchu

A travel agency called Atalaya Turismo is planning a trip *(un viaje)* to the ruins of Machu Picchu in Peru. Look at the advertisement and write questions about the trip. Use the answers provided to help you write logical questions for each answer.

1. **¿Cuándo es el viaje?** _____

   El viaje *(trip)* es el 29 de noviembre.

2. **¿De cuántos días es el viaje?** _____

   El viaje es de siete días.

3. **¿Cómo se llama el hotel?** _____

   El hotel se llama Machu Picchu Inn.

4. **¿Cómo van a Machu Picchu?** _____

   Van en tren panorámico.

5. **¿Van a Arequipa?** _____

   No, no van a Arequipa.

6. **¿Cuál es el número de teléfono de Atalaya Turismo?** _____

   El número de teléfono de Atalaya Turismo es el 4312-5784.

10 Sopa de letras

In the word-square find and circle ten modes of transportation in Spanish. The words may read vertically, horizontally or diagonally.

```
W  E  C  A  M  I  Ó  N  E  R  T  Ó
T  Á  L  A  U  M  V  T  U  Z  L  S
B  P  B  A  R  C  O  Y  R  I  X  L
N  Z  I  Y  F  R  M  A  Ó  E  B  M
T  T  C  A  U  T  O  B  Ú  S  N  U
Í  D  I  F  V  U  T  D  O  O  P  L
V  S  C  Y  B  I  O  A  M  M  O  J
Q  Ú  L  Á  N  N  Ó  W  X  A  K  L
U  C  E  T  G  H  E  N  E  I  O  N
M  E  T  R  O  R  M  W  Y  U  I  D
R  S  A  N  S  P  Ó  R  T  A  B  É
```

11 ¿Cómo vamos?

How would you travel from one place to another? Write a mode of transportation that would make sense. In most cases, there is more than one possible answer.

MODELO   ¿De México, D.F. a Jalisco? en autobús Possible answers:

1. ¿De Chicago a México, D.F.? _en avión_____

2. ¿De Cancún a Cozumel? _en barco_____

3. ¿De México, D.F. a Puebla? _en carro_____

4. ¿Del Zócalo a Chapultepec? _en metro_____

5. ¿De la escuela al cine? _en autobús_____

6. ¿Del hotel a un restaurante cerca? _a pie_____

12 Un mensaje electrónico

Complete the following e-mail with the correct forms of the verb *ir*.

Para: Irene
De: Natalia
Asunto: Fiesta
Cc:

¡Hola, Irene!

Sabes, Félix y yo no (1)**vamos**_____ a la fiesta mañana. Félix no

(2)**va**_____ porque él y un amigo (3)**van**_____ al

cine. Yo no (4)**voy**_____ porque no tengo transporte y la fiesta

está lejos. Iván tampoco (5)**va**_____ porque

(6)**va**_____ al dentista. Rebeca y Antonio sí

(7)**van**_____. ¿Y tú? ¿(8)**Vas**_____ a la fiesta?

¿Cómo (9)**vas**_____ tú? ¿Tienes transporte?

¿(10)**Vamos**_____ tú y yo juntas *(together)*?

Hasta luego,

Natalia

Nombre: _____   Fecha: _____

13 ¿Quiénes van?

Complete the sentences with the appropriate subjects from the list.

yo　　　tú　　　vosotras　　　mis amigos　　　Leonardo　　　nosotros

1. __Mis amigos_____ van a la escuela a pie.

2. __Vosotras_____ vais al cine, ¿verdad?

3. __Leonardo_____ no va a la biblioteca con Manuel.

4. __Yo_____ voy al banco en taxi.

5. __Nosotros_____ no vamos a la fiesta de Raquel.

6. __Tú_____ vas a la oficina a las ocho, ¿verdad?

14 ¿Cómo van?

Write complete sentences saying how the following people get to their workplaces.

MODELO　Federico 　_Federico va en metro._

1. Olga y Maira

   Olga y Maira van en carro.

2. el Sr. Barrientos

   El Sr. Barrientos va en autobús.

3. yo

   Yo voy en bicicleta.

4. Rubén

   Rubén va en camión.

5. tú

   Tú vas en moto(cicleta).

6. Graciela

   Graciela va a pie.

15 ¿Adónde y a qué hora van?

Combine elements from each column to write seven complete sentences. Add any necessary words and make changes as needed.

MODELO   Eduardo va a la médica a las dos de la tarde.

Eduardo	escuela	8:15 A.M.
mis amigos	cine	10:00 A.M.
tú	banco	12:00 P.M.
el estudiante nuevo	fiesta	2:00 P.M.
don Ignacio	parque	4:30 P.M.
Alicia y Gloria	médica	6:45 P.M.
Juan y yo	biblioteca	7:30 P.M.
la profesora	restaurante	8:45 P.M.

1. **Answers will vary.** _____

_____

2. _____

_____

3. _____

_____

4. _____

_____

5. _____

_____

6. _____

_____

16 Playa del Carmen

Some of your friends are thinking of going to Playa del Carmen, a popular beach in Mexico. They would like more information about the place: how to get there, is it close to Cancún, a name of a fantastic hotel, what is in Xcaret, etc. Prepare a list of six to eight questions in Spanish to ask a local Mexican travel agency. If you would like, search the Internet for the answers to your questions.

Possible answers: ¿Cómo vamos a Playa del Carmen? ¿Está cerca de

Cancún? ¿Está Tulum lejos? ¿Vamos en autobús a Tulum? ¿Cómo se llama un

hotel fantástico? ¿Hay un cine en Playa del Carmen? ¿Cuántos restaurantes

hay? ¿Son los muchachos simpáticos? ¿Hablan inglés? ¿Tomamos un barco

a Cozumel? ¿Qué hay en Xcaret? ¿A qué hora vamos a Xcaret?

Lección B

1 Crucigrama

Complete the following crossword puzzle with words related to downtown.

Horizontal

5. La oficina está en un _____ grande.

6. Hay muchos edificios en el _____.

7. El concierto de rock va a ser en la _____.

8. Una _____ es una calle grande.

Vertical

1. Vamos al _____ de arte.

2. El actor está en el _____.

3. La _____ de México es grande.

4. Voy a la _____ porque necesito ropa nueva.

6. Los carros van por la _____.

2 En el Distrito Federal

Imagine you took the following photographs during a trip to Mexico City. Identify what is shown in each photograph.

MODELO

Es un museo.

1.

Possible answers:

Es una plaza.

4.

Es una avenida.

2.

Es un edificio grande.

5.

Es un restaurante.

3.

Es un teatro.

6.

Es una tienda.

3 ¿Adónde van a ir?

Look at the map of the center of Mexico City. Write complete sentences, telling where each person is going to go.

MODELO   Yo voy a ir al Zócalo.

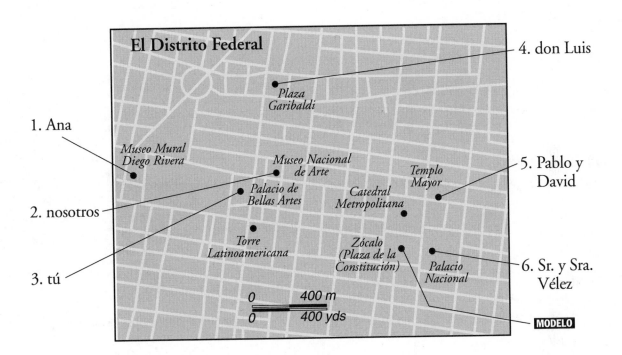

1. _Ana va a ir al Museo Mural Diego Rivera._

2. _Nosotros vamos a ir al Museo Nacional de Arte._

3. _Tú vas a ir al Palacio de Bellas Artes._

4. _Don Luis va a ir a la Plaza de Garibaldi._

5. _Pablo y David van a ir al Templo Mayor._

6. _Sr. y Sra. Vélez van a ir al Palacio Nacional._

4 ¿Qué van a hacer?

Look at the illustrations and write complete sentences, telling what the people are going to do. Use the construction *ir + a* and the verbs from the list.

estudiar	tomar	necesitar
hablar	ir	caminar

MODELO   Ángela
Ángela va a ir al museo.

1. Rafael

Rafael va a hablar por teléfono.

_____

4. nosotros

Nosotros vamos a ir al cine.

_____

2. los señores

Los señores van a tomar el tren.

_____

5. Gustavo

Gustavo va a caminar.

_____

3. Diana

Diana va a estudiar.

_____

6. yo

Yo voy a necesitar una

silla nueva.

_____

Nombre: _____ Fecha: _____

5 En el restaurante

Complete the following conversation that takes place at a restaurant with the appropriate words from the box.

agua	para	menú	ensalada	comer	momento
tomar	cómo	acuerdo	jugo	veo	siempre

MESERO: Buenas tardes, señoritas. ¿Qué van a (1) **tomar** ?

JULIA: Hoy voy a tomar un (2) **jugo** de naranja.

CARMEN: Yo quiero un (3) **agua** mineral.

MESERO: ¡(4) **Cómo** no! ¿Y (5) **para** comer?

JULIA: Pues, quiero pescado pero no (6) **veo** pescado en el

(7) **menú** … ¡Aquí está! Yo quiero pescado con una

(8) **ensalada** .

MESERO: ¿Y Ud., señorita?

CARMEN: (9) **Siempre** como pollo pero hoy voy a

(10) **comer** pescado.

MESERO: De (11) **acuerdo** . Un

(12) **momento** , por favor.

6 Completa el menú

Imagine you work at Restaurante Los Amigos. Complete the menu by writing the items in the box under the appropriate headings.

naranja   refrescos   ensalada de tomate   pollo   frijoles

⭐ *Restaurante Los Amigos*

ENSALADAS

(1) **Ensalada de tomate** $3.50
Ensalada mixta $4.50

PLATOS TÍPICOS
Quesadillas... $5.00
Tacos mixtos.. $6.25

(2) **Pollo** en mole.................................. $7.50
Enchiladas verdes...................................... $6.75

PLATOS VEGETARIANOS

(3) **Frijoles** negros................................ $4.50
Burritos vegeterianos................................. $5.50

BEBIDAS

Jugo de (4) **naranja** $1.25

(5) **Refresco** $1.25
Agua mineral $1.25

---

7 ¿Quién comprende?

Tell who understands by completing each sentence with the present tense of *comprender*.

1. Nuria y yo **comprendemos**

2. Los estudiantes **comprenden**

3. La profesora Díaz **comprende**

4. Tú **comprendes**

5. Yo **comprendo**

6. Vosotros **comprendéis**

8 ¿Qué comen?

Write a sentence telling what each person eats.

MODELO Paco

Paco come pizza.

1. yo

Yo como ensalada.

_____

2. Uds.

Uds. comen pollo.

3. Alicia

Alicia come pescado.

_____

4. tú

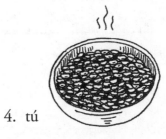

Tú comes frijoles.

_____

5. nosotros

Nosotros comemos tacos.

_____

9 ¿Qué hacen?

What is everyone doing downtown? Complete the sentences with the present tense of the verbs in parentheses.

1. Carlos y Elvira __comen__ en el Restaurante Delicias. (comer)

2. Yo __veo__ el arte de Frida Kahlo en un museo. (ver)

3. Humberto __lee__ el periódico en la Plaza San Juan. (leer)

4. El médico le __hace__ una pregunta al señor Durán. (hacer)

5. Tú no __sabes__ dónde está la Plaza de la Constitución. (saber)

6. Nosotros __vemos__ muchos museos y teatros. (ver)

7. Cristina y José __leen__ en el metro. (leer)

8. Yo __hago__ una gira (tour) por el centro. (hacer)

10 Una carta de Armando

Complete Armando's letter with the correct forms of the verbs *saber, comer, ver, ir, comprender* and *hacer*.

¡Hola Graciela!

¿(1) __Sabes__ tú que Juan y yo estamos en el Distrito Federal? ¡Es una ciudad fantástica! Al mediodía nosotros siempre (2) __comemos__ mole poblano y por las tardes (3) __vemos__ mucho arte en los museos. Mañana, yo (4) __voy__ a ver a Óscar. Él (5) __comprende__ y habla inglés. ¿Y tú? ¿Cómo estás? ¿Qué (6) __haces__ en San Antonio? ¿(7) __Comes__ tacos? Yo (8) __hago__ muchas preguntas, ¿verdad?

Bueno, hasta pronto.

Tu amigo,
Armando

11 ¿Verdad?

Combine elements from each column to write six complete, logical questions with the tag word *verdad*.

MODELO   Conchita va al colegio, ¿verdad?

Conchita	hacer	una revista
mis amigos	comer	muchas preguntas
yo	ver	inglés y español
tú y Mario	saber	pescado
nosotros	comprender	al colegio
Francisca	leer	el edificio grande
vosotros	ir	mi número de teléfono

Possible answers:

1. Mis amigos hacen muchas preguntas, ¿verdad?

_____

2. Yo como pescado, ¿verdad?

_____

3. Tú y Mario ven el edificio grande, ¿verdad?

_____

4. Nosotros comprendemos inglés y español, ¿verdad?

_____

5. Francisco lee una revista, ¿verdad?

_____

6. Uds. saben mi número de teléfono, ¿verdad?

_____

12 Una carta de México

Imagine you are an exchange student, living with a family in Mexico City. Write a letter to a friend describing your experience. You may use the following outline as a guide.

1. Greet your friend.
2. Say how you are.
3. Tell at what time you go to school and how you get there.
4. Tell what you read in your Spanish class.
5. Mention a food you always eat at school.
6. Mention two things you are going to do on Saturday.
7. Close the letter.

Answers will vary.

Capítulo 4

Lección A

1 La familia Muñoz

Complete the following sentences about the Muñoz family, using the family tree as a reference.

José Alberto — Josefina

Carlos — Laura

Lucía — Antonio

Marisol — Pablo — Sofía — Rubén

1. Marisol es la **hija** _____ única de Carlos y Lucía.

2. Los **abuelos** _____ de Marisol son José Alberto y Josefina.

3. José Alberto y Josefina tienen dos **hijos** _____ y cuatro **nietos** _____.

4. Laura, la **hermana** _____ de Carlos, es la **tía** _____ de Marisol.

5. Pablo, Sofía y Rubén son los **sobrinos** _____ de Carlos y los **primos** _____ de Marisol.

6. La **esposa** _____ de Carlos es Lucía. Ella es la **madre** _____ de Marisol.

2 Crucigrama

Complete the following crossword puzzle with words you learned in the lesson.

Horizontal

3. El _____ de mi primo es mi tío.
5. El padre de mi padre es mi _____.
6. La familia vive en una _____.
7. El hermano de mi madre es mi _____.
9. El hijo de mi hermana es mi _____.
10. Estamos en Puerto Rico pero _____ en Nueva York.

Vertical

1. El hijo de mis padres es mi _____.
2. Abuelos, tíos, primos son _____.
3. El sobrino de mi madre es mi _____.
4. Mi abuelo es el _____ de mi abuela.
8. Él es hijo _____ porque no tiene hermanos.

3 Puerto Rico

How well do you know Puerto Rico? Match the name of the place in Puerto Rico on the left with the appropriate description in English on the right.

__E__ 1. San Juan

__A__ 2. Borinquén

__F__ 3. playa de Luquillo

__D__ 4. el Yunque

__C__ 5. el Castillo de San Felipe del Morro

__B__ 6. salsa

A. the original name of Puerto Rico

B. popular music in Puerto Rico

C. a fort built in 1591 to protect the island

D. a tropical rain forest

E. the capital of Puerto Rico

F. a beautiful beach

4 Mis primos de Ponce

Rewrite the following sentences, replacing the underlined words with the words in parentheses. Make any necessary changes to the form of the verbs and the adjectives.

MODELO Mi tía es muy simpática. (mis abuelos)
Mis abuelos son muy simpáticos.

1. Mi tío favorito vive en Ponce, Puerto Rico. (mis primos)

   Mis primos favoritos viven en Ponce, Puerto Rico.

2. El museo de arte de Ponce es fantástico. (las playas)

   Las playas de Ponce son fantásticas.

3. Hay un restaurante nuevo muy bueno. (una tienda)

   Hay una tienda nueva muy buena.

4. Todos los amigos de mi primo Raúl son divertidos. (las hermanas)

   Todas las hermanas de mi primo Raúl son divertidas.

5. Mi prima es guapa y popular. (mis primos)

   Mis primos son guapos y populares.

6. La casa de mis tíos es grande y bonita. (el carro)

   El carro de mi tío es grande y bonito.

5 Fotos de la familia

Your cousin found an old family album and is wondering who is who in the photographs. Answer her questions in the affirmative, using appropriate possessive adjectives.

MODELO   ¿Es ella mi tía?
           <u>Sí, es tu tía.</u>

1. ¿Es ella la abuela de nosotros?

   Sí, es nuestra abuela.

2. ¿Son los hermanos de Ernesto?

   Sí, son sus hermanos.

3. ¿Es el señor el padre de Carolina?

   Sí, es su padre.

4. ¿Son mis primos?

   Sí, son tus primos.

5. ¿Es la señora guapa tu madre?

   Sí, es mi madre.

6. ¿Es él mi sobrino?

   Sí, es tu sobrino.

7. ¿Es el muchacho el primo de nosotros?

   Sí, es nuestro primo.

8. ¿Es ella la esposa de tío Manolo?

   Sí, es su esposa.

9. ¿Son ellos tus hermanos?

   Sí, son mis hermanos.

10. ¿Los señores son los padres de tu madre?

    Sí, son sus padres.

6 Las fotos de José

Help José write labels for the photographs he is putting up on his personal Web site. Complete each phrase with the appropriate possessive adjective.

MODELO   Pedro y <u>su</u> hermana

1. Carmen y ____sus____ amigas

2. yo y ____mi____ abuelo

3. don Tomás y ____sus____ hijos

4. mi amigo y ____sus____ parientes

5. nosotros y ____nuestro____ profesor

6. el Sr. y la Sra. Ramos y ____su____ sobrina

7. yo y ____mis____ primos

8. doña Julia y ____su____ esposo

7 Mi familia vive en Puerto Rico

Complete the following sentences with the present tense of the verb *vivir*.

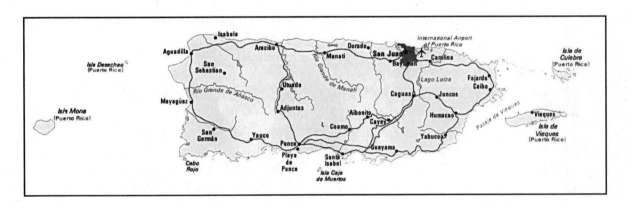

1. Nosotros ____vivimos____ en Puerto Rico.

2. Mis abuelos ____viven____ en Arecibo.

3. Mi hermano Hernán ____vive____ en Mayagüez.

4. Yo ____vivo____ en San Juan con mis padres.

5. Mi prima Paulina ____vive____ en Ponce.

6. Mis tíos ____viven____ en Fajardo.

7. ¿Y tú? ¿Dónde ____vives____?

8 ¡Voy a Puerto Rico!

Enrique is writing an e-mail to a friend. Complete his message with the present tense of the verbs *vivir*, *ir* and *salir*.

```
┌─────────────────────────────────────────────────────────────┐  _ □ ✕
│  [  ▼]  Normal  [▼]  [MIME ▼]  QP ⊟ ⊡ ⊣ ⊕        Enviar       │
├─────────────────────────────────────────────────────────────┤
│  Para:  Jorge                                                 │
│    De:  Enrique                                               │
│  Asunto: ¡Hola!                                               │
│    Cc:                                                        │
├─────────────────────────────────────────────────────────────┤
```

¡Hola!

Estoy en la clase de computación. (1) **Salgo** a las dos de

la tarde. ¿A qué hora (2) **sales** tú? ¿Sabes? Mañana yo

(3) **voy** a ir con mi madre a Puerto Rico. En Puerto

Rico (4) **viven** mis abuelos. Ellos (5) **viven**

muy cerca de la playa. Nosotros (6) **vamos** en avión

porque (7) **vivimos** en Nueva York y Puerto Rico está lejos.

El avión (8) **sale** a las diez de la mañana. Mi hermano

no (9) **va** porque él estudia en España. Él

(10) **vive** en Barcelona con un primo de mi padre.

Ellos siempre están en casa: no (11) **salen** de Barcelona.

¿Y tú? ¿Enrique (12) **vas** a ir a otra ciudad en el verano?

    Enrique

9 ¿Cómo está?

Match the situation in English on the left with the appropriate expression in Spanish on the right. Write the letter of your choice in the space provided.

__C__ 1. Your brother is going to his first job interview. A. Está triste.

__A__ 2. Sergio's dog just died. B. Está contento.

__F__ 3. Víctor is wearing a bathing suit to snowboard. C. Está nervioso.

__B__ 4. Miguel got an A+ on his exam. D. Está cansado.

__D__ 5. Your uncle worked two night shifts. E. Está enfermo.

__E__ 6. Your grandfather has the flu. F. Está loco.

10 No es verdad

Rewrite each of the following sentences, replacing the underlined word with its opposite.

MODELO Hilda está mal.
Hilda está bien.

1. Nuestra casa está limpia.

   Nuestra casa está sucia.

2. El museo está cerrado hoy.

   El museo está abierto hoy.

3. Humberto está muy contento.

   Humberto está muy triste.

4. Juanita está enferma.

   Juanita está bien.

5. El jugo de naranja está frío.

   El jugo de naranja está caliente.

6. La mesa cerca de la ventana está ocupada.

   La mesa cerca de la ventana está libre.

11 ¿Cómo se llama?

Look at the following wedding announcement and answer the questions.

El día 27 de septiembre, en la iglesia San Vicente Ferrer (Los Dominicos), se efectuó el matrimonio del teniente del Ejército don Mauricio Puebla Sepúlveda y la señorita Caroline Monypenny García.

1. What is the groom's family name? **Puebla**

2. What is the bride's family name? **Monypenny**

3. What is the family name of the groom's mother? **Sepúlveda**

4. What is the family name of the bride's mother? **García**

5. What is Caroline's married name? **Caroline Monypenny de Puebla**

6. In the telephone directory, under what letter will the newlyweds be listed? **P**

12 ¿Cómo están?

Complete the following descriptions with the correct form of *estar* and an appropriate adjective.

MODELO

El pollo <u>está caliente</u>.

1.

El parque <u>está sucio</u>

_____.

2.

Los chicos <u>están apurados</u>

_____.

3.

La chica <u>está enferma</u>

_____.

4.

Tu <u>estás triste</u>

_____.

5.

Las ventanas <u>están abiertas</u>

_____.

6.

El estudiante <u>está nervioso</u>

_____.

7.

Mis tíos <u>están guapos</u>

_____.

8.

Nosotros <u>estamos cansados</u>

_____.

13 Sala de chat

Imagine you are in a chat room talking about your family, real or imaginary. Write six to eight sentences describing your family. Include their names and relationships, where they live, and how they are.

Answers will vary.

_____

_____

_____

_____

_____

_____

_____

_____

Lección B

1 Mis nuevos amigos

Imagine you are an exchange student in the Dominican Republic and you write a letter to your parents at home. Complete the letter with the words from the list.

hacer	bailar	escuchar	jugar	gustar
patinar	nadar	tocar	partido	ver

Hola, mamá y papá:

¿Cómo están? Yo estoy bien. Me (1)___gusta___ mucho

estudiar en la República Dominicana. Es un país fantástico.

Tengo dos nuevos amigos. Se llaman Rafael y Érica. Son muy simpáticos. A Rafael

le gusta (2)___jugar___ al béisbol y

(3)___tocar___ el piano. A Érica le gusta

(4)___patinar___ sobre ruedas y

(5)___bailar___ salsa y merengue. A los dos les

gusta (6)___escuchar___ la radio pero no les gusta

(7)___ver___ la televisión. Mañana nosotros vamos a

(8)___nadar___ en la playa. Y en la tarde, vamos a

ir a un (9)___partido___ de béisbol. ¡Qué divertido!

Bueno, hasta luego. Voy a (10)___hacer___ la tarea.

   Los quiero,

   Ricardo

2 ¿Qué te gusta hacer?

Look at each illustration and say whether or not you like doing the activity pictured.

MODELO

Me gusta tocar el piano./No me gusta tocar el piano.

1.

   (No) Me gusta jugar al tenis.

   _____

2.

   (No) Me gusta hacer la tarea.

   _____

3.

   (No) Me gusta ir de

   compras/comprar.

4.

   (No) Me gusta escuchar

   la radio.

5.

   (No) Me gusta cantar.

   _____

6.

   (No) Me gusta nadar.

   _____

7.

   (No) Me gusta mirar fotos.

   _____

8.

   (No) Me gusta patinar

   sobre ruedas.

3 La República Dominicana

Based on what you have learned about the Dominican Republic, complete the sentences on the left with the phrases on the right.

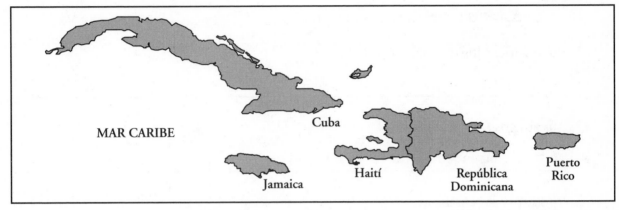

___B___ 1. La República Dominicana y Haití están en…

A. El Dorado.

___E___ 2. La capital de la República Dominica es…

B. La Española.

___A___ 3. Una playa en la República Dominicana es…

C. el merengue.

___C___ 4. La música popular en la República Dominicana es…

D. Ponce de León.

___D___ 5. Un explorador que salió de Santo Domingo es…

E. Santo Domingo.

4 Nos gusta mucho

You and your friends are listing all the things and activities you like about the Dominican Republic. Complete each sentence with either *nos gusta* or *nos gustan*.

1. **Nos gustan** _____ las playas bonitas.

2. **Nos gustan** _____ los partidos de béisbol.

3. **Nos gusta** _____ el merengue.

4. **Nos gustan** _____ los edificios en Santo Domingo.

5. **Nos gusta** _____ ir de compras.

6. **Nos gusta** _____ el Museo de Arte Moderno.

7. **Nos gustan** _____ los parques ecológicos.

8. **Nos gusta** _____ nadar en Boca Chica.

5 ¿Qué les gusta?

Write complete sentences, saying what the following people like to do.

MODELO   Selena / contestar en clase
<u>A Selena le gusta contestar en clase.</u>

1. Juan Pablo / jugar al béisbol

   A Juan Pablo le gusta jugar al béisbol.

2. tus amigos / ver televisión

   A tus amigos les gusta ver televisión.

3. nosotros / las ensaladas

   A nosotros nos gustan las ensaladas.

4. tú / los conciertos de rock

   A ti te gustan los conciertos de rock.

5. la abuela / leer revistas

   A la abuela le gusta leer revistas.

6. profesor Bolaños / hacer preguntas

   Al profesor Bolaños le gusta hacer preguntas.

7. yo / los chicos inteligentes

   A mí me gustan los chicos inteligentes.

8. mis hermanos / ir en tren

   A mis hermanos les gusta ir en tren.

6 Conexión dominicana

Read the following profiles of teenagers in the Dominican Republic who are looking for pen pals. Then answer the questions.

Nombre: María Luz Guerra
Dirección: mlguerra@cable.com
Edad: 15 años
Pasatiempos: bailar, ir al cine, jugar al béisbol

Nombre: Rodrigo Vargas
Dirección: vargas2@inter.net
Edad: 16 años
Pasatiempos: tocar el piano, leer, escuchar la radio

Nombre: Juan Luis Alarcón
Dirección: alarcon111@red.dr
Edad: 17 años
Pasatiempos: ir a la playa, salir con amigos, cantar

Nombre: Elena Jiménez
Dirección: elenaj@cable.com
Edad: 15 años
Pasatiempos: leer, escuchar la radio, patinar sobre ruedas

Nombre: Antonio J. Díaz
Dirección: adiaz@latino.net
Edad: 16 años
Pasatiempos: jugar al béisbol, leer, nadar, ir al cine

Nombre: Consuelo Valero
Dirección: conval@inter.net
Edad: 17 años
Pasatiempos: salir con amigos, ir al cine, bailar

1. ¿A quién le gusta tocar el piano?

   A Rodrigo le gusta tocar el piano.

2. ¿A quiénes les gusta leer?

   A Antonio, Rodrigo y Elena les gusta leer.

3. ¿Qué le gusta hacer a Consuelo?

   A Consuelo le gusta salir con amigos, ir al cine y bailar.

4. ¿A quiénes les gusta jugar al béisbol?

   A María Luz y a Antonio les gusta jugar al béisbol.

5. ¿Le gusta bailar a Juan Luis?

   No, a Juan Luis no le gusta bailar.

6. ¿A ti qué te gusta hacer?

   Answers will vary.

7 Juego

Write the opposite words in the spaces provided. Then unscramble the circled letters to complete the sentence on the bottom.

1. rápido   l   e   (n)   t   o

2. generosa   e   g   o   í   s   (t)   a

3. divertido   a   b   u   (r)   r   i   d   o

4. tonto   i   n   t   (e)   l   i   g   e   n   (t)   e

5. bonitos   f   e   o   (s)

6. alta   b   (a)   j   a

7. mala   b   u   (e)   n   a

8. gordo   d   (e)   l   g   a   d   o

9. fácil   d   i   f   í   c   (i)   l

10. rubia   m   o   r   e   (n)   a

La clase de español es ___interesante___.

8 ¿Cómo es?

Complete the following descriptions, according to the pictures.

MODELO

Alicia es <u>baja.</u>

1. Raquel es ___alta___.

2. Don Fernando es ___calvo___.

3. El avión es ___rápido___.

4. La clase es ___aburrida___.

5. Quique es ___cómico___.

6. La tarea es ___difícil___.

9 ¿Qué quiere decir?

Match the description in English on the left with the correct expression in Spanish on the right.

___D___ 1. The fruit is not ripe.　　A. Está guapa.

___A___ 2. Marta looks pretty today.　　B. Es en el parque.

___F___ 3. Marta is at the park.　　C. Es guapa.

___C___ 4. Marta is pretty.　　D. Está verde.

___E___ 5. Marta's backpack is green.　　E. Es verde.

___B___ 6. The concert is in the park.　　F. Está en el parque.

10 ¿Cuál es el verbo correcto?

Circle the verb that logically completes each sentence.

1. Mi padre ((es)/ está) un señor bueno, inteligente y generoso.

2. Lorenzo va a ir al médico porque (es /(está)) enfermo.

3. Mis hermanos y yo ((somos)/ estamos) de Nueva York.

4. ¿Dónde ((es)/ está) el concierto de Marc Anthony?

5. ¿Por qué (eres /(estás)) nerviosa, Lita?

6. La casa de Juan (es /(está)) cerca de la playa.

11 ¿Ser o estar?

Complete the following conversation with the correct forms of the verbs *ser* or *estar*.

MARTÍN: ¡Hola, Berta! ¿Cómo (1)__estás_____?

BERTA: Bien, gracias. Oye, (2)__estás_____ muy guapo.

MARTÍN: Gracias. Voy a una fiesta.

BERTA: ¿Sí? ¿Dónde (3)__es_____ la fiesta?

MARTÍN: En la casa de Lorena.

BERTA: ¿Quién (4)__es_____ Lorena?

MARTÍN: Lorena (5)__es_____ la prima de Carlos. Ella (6)__está_____ en nuestra clase de computación. (7)__Es_____ de la República Dominicana.

BERTA: (8)__Es_____ la chica alta, delgada y morena, ¿verdad?

MARTÍN: Sí. ¿Quieres ir a la fiesta?

BERTA: No, gracias. (9)__Estoy____ ocupada.

12 Hay un concierto

Look at the following advertisement for a concert. Use the information in it to answer the questions.

1. ¿Cuándo es el concierto?

   El concierto es el 6 de diciembre.

2. ¿Dónde es el concierto?

   Es en el Estadio El Campín.

3. ¿Quién es el cantante?

   El cantante es Carlos Vives.

4. ¿Cómo es él? ¿Moreno o rubio?

   Él es moreno (y alto).

5. ¿Te gusta ir a conciertos? ¿Por qué?

   Possible answer: Sí, me gusta ir a conciertos porque son divertidos.

13 Mi pariente favorito

Answer the following questions about your favorite relative, real or imaginary.

1. ¿Quién es tu pariente favorito?

   Answers will vary.
   _____

   _____

2. ¿Cómo se llama? ¿Cuántos años tiene?

   _____

   _____

3. ¿De dónde es? ¿Dónde vive?

   _____

   _____

4. ¿Cómo es su físico *(physical appearance)*?

   _____

   _____

5. ¿Cómo es su personalidad *(personality)*?

   _____

   _____

6. ¿Qué le gusta hacer?

   _____

   _____

7. ¿Qué cosas *(things)* no le gustan?

   _____

   _____

8. ¿Cómo estás cuando ves a tu pariente favorito? ¿Por qué?

   _____

   _____

Capítulo 5

Lección A

1 En la tienda

Complete the following sentences logically with the appropriate words.

lástima	casete	equipo	dinero	reproductor
disco	quemador	aparatos	caramba	canción

1. Los chicos entran en la tienda de __aparatos__ electrónicos.

2. Mauricio busca el __disco__ compacto con la nueva

   __canción__ de Marc Anthony.

3. ¡__Caramba__! La tienda no tiene el CD, solamente *(only)* tiene

   el __casete__.

4. Carolina ve un __equipo__ de sonido, un

   __reproductor__ de MP3 y un __quemador__ de CDs.

5. ¡Qué __lástima__! Ella no tiene __dinero__ para
   comprar los aparatos.

2 Costa Rica

Read the following statements about Costa Rica. If the statement is true, write **T** in the space provided. If the statement is false, write **F**.

___T___ 1. Costa Rica means "rich coast."

___F___ 2. Costa Rica is the largest and most populous country in Central America.

___T___ 3. Costa Rica has had no army for more than fifty years.

___F___ 4. Costa Rica is a flat country.

___F___ 5. *Irazú* is a beautiful beach.

___T___ 6. Costa Rica is famous for its ecological tourism.

3 ¿Qué tienen?

What do the following people have in their suitcases as they leave on a trip to Costa Rica?
Complete the sentences with the present tense of the verb *tener*.

1. Arturo __tiene_____ un mapa de Costa Rica.

2. Nosotros __tenemos_____ tres discos compactos de música salsa.

3. Irene y Maite __tienen_____ cinco camisetas.

4. Tú __tienes_____ un diccionario de español.

5. Yo __tengo_____ dos libros sobre las selvas tropicales.

6. Don César __tiene_____ mucho dinero.

4 ¡Qué sorpresa!

What a coincidence! Write a sentence saying that the person in parentheses also has it. Be sure
to change the verb forms when necessary.

MODELO   Guillermo tiene veinte años. (yo)
Yo también tengo veinte años.

1. El Sr. Camacho tiene un reproductor de MP3. (mis primos)

   Mis primos también tienen un reproductor de MP3.

2. Yo tengo tres discos compactos de Santana. (Maricela)

   Maricela también tiene tres discos compactos de Santana.

3. La profesora Ruiz tiene un mapa de San José. (nosotros)

   Nosotros también tenemos un mapa de San José.

4. Lorena tiene un quemador de CDs. (tú)

   Tú también tienes un quemador de CDs.

5. Sergio y Mateo tienen un equipo de sonido japonés. (yo)

   Yo también tengo un equipo de sonido japonés.

6. Mi hermano tiene quince años. (Ramón)

   Ramón también tiene quince años.

5 En el autobús

Imagine you are in a tour bus in Costa Rica. Look at the drawing and write what everyone is holding.

MODELO Daniel
Daniel tiene una revista.

1. Olga

   Olga tiene un reproductor de MP3.

2. los chicos

   Los chicos tienen un mapa (de Costa Rica).

3. Ángela

   Ángela tiene un disco compacto.

4. el Sr. López y Ángela

   El Sr. López y Ángela tienen un periódico.

5. yo

   Yo tengo un libro.

6. tú

   Tú tienes una computadora.

6 ¡Qué país!

While visiting Costa Rica, you are awed by some of its sights. Write an appropriate expression for each situation using *qué* + noun.

MODELO   You see *volcán Irazú* with its enormous crater.
<u>¡Qué volcán!</u>

1. You go to a large store in Sarchí where they sell colorful, hand-painted wooden carts.

   ¡Qué tienda! _____

2. You visit the national theater in San José, a beautiful building decorated in rococo style.

   ¡Qué teatro! _____

3. At Jacó Beach, you run into one of your classmates, who is also visiting Costa Rica.

   ¡Qué sorpresa! _____

4. You visit Braulio Carrillo, a national park with over 6,000 plant species.

   ¡Qué parque! _____

5. You watch an interesting movie about Columbus' visit to Puerto Limón.

   ¡Qué película! _____

6. You see a city bus colorfully decorated with painted murals and lights.

   ¡Qué autobús! _____

7. You watch an exciting soccer game between Saprissa and Alajuela.

   ¡Qué partido! _____

8. Tomorrow you go back home. You feel it is a shame that the trip is over.

   ¡Qué lástima! _____

7 Crucigrama

Complete the following crossword puzzle.

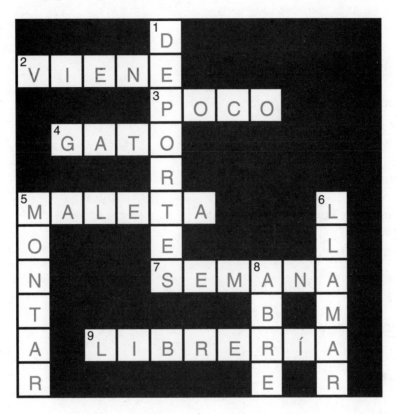

Horizontal

2. No esta semana; la semana que ___.

3. No mucho.

4. Animal que hace miau.

5. Hacer la ___ para ir de viaje.

7. Hay siete días en una ___.

9. Tienda de libros.

Vertical

1. El tenis, el fútbol y el béisbol son ___.

5. ___ en bicicleta.

6. ___ a un amigo por teléfono.

8. La tienda ___ a las 10:00 A.M.

8 Identifica

Circle the verb and underline the direct object in each of the following sentences.

MODELO   Todos los días (llevo) el perro al parque.

1. Víctor (compra) una revista en la librería.

2. El señor Domínguez (hace) las maletas.

3. Tú siempre (escuchas) la radio, ¿verdad?

4. Mis compañeros (ven) la película de Penélope Cruz.

5. La estudiante nueva (contesta) las preguntas del profesor.

6. Todas las mañanas yo (leo) el periódico.

7. Mi tío (toma) el metro cada día.

8. Los ticos (comen) gallo pinto.

9. Doña Rosita (hace) un viaje la semana que viene.

9 La *a personal*

Write the *a personal* only in those sentences that require it.

1. Mi padre tiene __—__ tres hermanos y una hermana.

2. Yo veo __a__ mi tío Antonio cada domingo.

3. Mi tío tiene __—__ un gato muy gordo.

4. Mi hermana siempre llama __a__ nuestros primos.

5. Ellos escuchan __a__ Shakira.

6. Mis amigos y yo leemos __—__ revistas cómicas.

7. La semana que viene vamos a ver __—__ un partido de tenis.

8. Mi madre lleva __a__ mi hermana al médico.

10 ¿Lo ves?

Look at the drawing and answer the questions, using direct object pronouns.

MODELO ¿Ves el piano?
<u>No, no lo veo.</u>

1. ¿Ves el mapa de Costa Rica? <u>Sí, lo veo.</u>

2. ¿Ves la computadora? <u>No, no la veo.</u>

3. ¿Ves el reproductor de DVDs? <u>Sí, lo veo.</u>

4. ¿Ves los libros? <u>Sí, los veo.</u>

5. ¿Ves el equipo de sonido? <u>No, no lo veo.</u>

6. ¿Ves las ventanas? <u>Sí, las veo.</u>

7. ¿Ves la pizarra? <u>Sí, la veo.</u>

8. ¿Ves el dinero? <u>No, no lo veo.</u>

9. ¿Ves los pupitres? <u>Sí, los veo.</u>

10. ¿Te ves? <u>No, no me veo.</u>

11 Complementos directos

Rewrite the following sentences, changing the direct objects nouns to direct object pronous.

MODELO Graciela lee revistas en español.
<u>Graciela las lee.</u>

1. Javier tiene el reproductor de CDs.
   Javier lo tiene.

2. Verónica ve a los niños.
   Verónica los ve.

3. No comprendo las palabras.
   No las comprendo.

4. Mario llama a la profesora de inglés.
   Mario la llama.

5. Nosotros tomamos el tren.
   Nosotros lo tomamos.

12 ¿Quién lo hace?

Answer the following questions, using the cues in parentheses and direct object pronouns.

MODELO ¿Quién llama a Enrique? (el Sr. Garza)
<u>El Sr. Garza lo llama.</u>

1. ¿Quién compra un reproductor de CDs? (Manuela)
   Manuela lo compra.

2. ¿Quiénes me ven todos los días? (los compañeros)
   Los compañeros te ven todos los días.

3. ¿Quién tiene el CD de Miguel Bosé? (esta tienda)
   Esta tienda lo tiene.

4. ¿Quién te escucha cantar? (el perro)
   El perro me escucha cantar.

5. ¿Quiénes toman jugo de tomate? (Alex y María)
   Alex y María lo toman.

Nombre: _____ Fecha: _____

13 La semana que viene

Look at Federico's agenda book and answer the following questions. Use direct object pronouns when appropriate.

LUNES 8	JUEVES 11
comprar el libro de historia	llevar al gato a casa de tía Marta
llamar a Lucía	
MARTES 9	**VIERNES 12**
estudiar para el examen de inglés	hacer la maleta
	ver la nueva película
MIÉRCOLES 10	**SÁBADO 13 / DOMINGO 14**
ir a la práctica de béisbol	tomar el autobús a Guanacaste

1. ¿Dónde crees *(you think)* que Federico compra el libro de historia?

   Lo compra en una librería.

2. ¿Tiene Federico la práctica de béisbol el martes?

   No, no la tiene el martes.

3. ¿Adónde lleva al gato el jueves?

   Lo lleva a casa de tía Marta.

4. ¿Cuándo va a estudiar inglés?

   El martes lo va a estudiar.

5. ¿Adónde toma el autobús Federico?

   Lo toma a Guanacaste.

6. ¿Cuándo hace la maleta?

   La hace el viernes.

7. ¿Qué día llama Federico a Lucía?

   La llama el lunes.

8. ¿Dónde crees *(you think)* que Federico ve la película el viernes?

   La ve en un cine.

14 ¡Qué viaje!

Imagine you will spend a week in Costa Rica. Write an e-mail to a friend, describing what you will do and see each day of the week.

	Normal	MIME	QP					Enviar

Para:

De:

Asunto:

Cc:

Answers will vary.

Lección B

1 Diciembre

Complete the sentences based on the following calendar.

DICIEMBRE						
LUNES	**MARTES**	**MIÉRCOLES**	**JUEVES**	**VIERNES**	**SÁBADO**	**DOMINGO**
	1	2	3	4	5	6
7	8	9	10	11	12	13
14	15	16	17	18	19	20
21	22	23	24	25	26	27
28	29	30	31			

1. Hoy es miércoles 9. ((Ayer) / Mañana) fue martes 8.

2. Hoy es el 31 de diciembre. Mañana es el ((primero de enero) / 30 de diciembre).

3. Hoy es el 17 de diciembre. Anteayer fue el ((15) / 16) de diciembre.

4. Hoy es el veinticinco de diciembre. Es (Noche Vieja / (Navidad)).

5. Mañana es el 11 de diciembre. Hoy es ((jueves) / viernes).

6. Hoy es lunes 21. Pasado mañana es ((miércoles 23) / jueves 24).

7. Hoy es el 29 de diciembre. ((Anteayer) / Ayer) fue el 27 de diciembre.

8. Mañana es Noche Vieja. Hoy es el (24 / (30)) de diciembre.

2 Un cumpleaños especial

Complete the following paragraph with the words from the list.

mayor	mucho	fue	viene	veintitrés
cumpleaños	temprano	fantástico	nueve	celebrarlo

Ayer, (1)__veintitrés__ de noviembre, (2)__fue__

mi (3)__cumpleaños__. Para (4)__celebrarlo__, mis amigos

y yo fuimos al concierto de Ricardo Montaner. Todos los años Ricardo Montaner

(5)__viene__ a nuestra ciudad. Me gustan

(6)__mucho__ sus canciones. Mi hermana

(7)__mayor__ de 19 años también fue al concierto. Fue a las

(8)__nueve__ de la noche pero llegamos al Estadio Nacional

(9)__temprano__, a las siete y media. ¡Fue (10)__fantástico__!

3 Nicaragua

Write each letter labeled on the map next to the corresponding description of the place.

MODELO   _D_   River connecting Lake Managua and Lake Nicaragua.

_F_   1. Nicaragua's neighbor to the south.

_A_   2. The largest country in Central America.

_C_   3. Nicaragua's capital and largest commercial center.

_B_   4. Land occupied by the British for almost a century.

_E_   5. The only freshwater lake in the world to have sharks.

4 ¿De dónde vienen?

Everyone in the tour group visited a different place in Nicaragua. Complete the following sentences with the present tense of **venir** to find out where everyone comes from.

MODELO Los señores Castro <u>vienen</u> de Rivas.

1. Yo _<u>vengo</u>_____ de Granada.

2. Samuel _<u>viene</u>_____ de León.

3. Flor y Laura _<u>vienen</u>_____ de Managua.

4. Tú _<u>vienes</u>_____ de Masaya.

5. El Sr. Quiroga _<u>viene</u>_____ de Bluefields.

6. Los compañeros de Tobías _<u>vienen</u>_____ de Matagalpa.

5 ¿Cuándo vienen?

When is everyone coming? Use the clues given and the present tense of **venir** to write complete sentences.

MODELO José / mañana
<u>José viene mañana.</u>

1. Mateo y Mauricio / pasado mañana

   Mateo y Mauricio vienen pasado mañana.

2. tú / la semana que viene

   Tú vienes la semana que viene.

3. nosotros / el primero de enero

   Nosotros venimos el primero de enero.

4. Hortensia / hoy

   Hortensia viene hoy.

5. mis parientes / el fin de semana

   Mis parientes vienen el fin de semana.

6 ¿Cómo vienen a la fiesta?

Look at the illustrations and write complete sentences, telling how everyone is arriving to the party.

MODELO Alberto

Alberto viene en moto.

1. Raúl

__Raúl viene en taxi.__

5. tú

__Tú vienes en bicicleta.__

2. Sara y Rosa

__Sara y Rosa vienen en tren.__

6. Doña Julia

__Doña Julia viene en carro.__

7. mis primos

__Mis primos vienen en barco.__

3. Dolores

__Dolores viene a pie.__

4. nosotros

__Nosotros venimos en autobús.__

8. yo

__Yo vengo en avión.__

7 Doce meses

In the word-square below, find and circle the Spanish names for the twelve months of the year. The words may read horizontally, vertically or diagonally.

```
A  O  C  T  U  B  R  E  F  E  R
B  C  T  D  Q  U  I  S  E  F  N
R  D  A  S  J  D  G  E  B  H  O
I  K  I  L  U  U  M  P  R  V  V
L  C  V  C  N  E  L  T  E  O  I
M  A  Y  O  I  Q  U  I  R  P  E
A  P  G  L  O  E  L  E  O  L  M
R  W  E  O  R  T  M  M  I  B  B
Z  A  S  D  S  F  G  B  H  T  R
O  K  L  P  X  T  W  R  R  S  E
R  H  E  N  E  R  O  E  J  E  D
```

8 ¿Cuánto es?

Read the following numbers and write them out, using numerals.

MODELO   mil setecientos   1.700

1. trescientos veinticinco   325

2. cien mil novecientos dos   100.902

3. mil cuatrocientos cincuenta   1.450

4. cinco mil ciento veintidós   5.122

5. doscientos cuarenta mil ochocientos once   240.811

6. novecientos noventa mil quinientos uno   990.501

7. setecientos mil cuatrocientos quince   700.415

8. cien mil, ciento trece   100.113

9 Contesta

Answer the following questions.

1. ¿Cuál es la fecha de hoy?   **Answers will vary.**

   _____

2. ¿Cuándo es el cumpleaños de tu mejor amigo(a)?

   _____

3. ¿Cuántos años cumple tu amigo(a)? ¿Es joven o viejo?

   _____

4. ¿En qué fecha es el Día de Año Nuevo?

   _____

5. ¿Qué año va a ser? ¿Te gusta la idea de estar en ese año?

   _____

6. ¿Pasan los años rápidamente?

   _____

10 Los días de fiesta

Complete each statement, using your knowledge of holidays throughout the Spanish-speaking world.

__C__	1. El Día de San Valentín es…	A. el treinta y uno de diciembre.
__F__	2. El Día del Trabajo es…	B. el veinticuatro de diciembre.
__A__	3. La Noche Vieja es…	C. el catorce de febrero.
__G__	4. El Día de los Inocentes es…	D. el seis de enero.
__B__	5. La Nochebuena es…	E. el primero de enero.
__D__	6. El Día de los Reyes Magos es…	F. el primero de mayo.
__J__	7. El Día de la Raza es…	G. el veintiocho de diciembre.
__I__	8. La Navidad es…	H. el primero de noviembre.
__H__	9. El Día de Todos los Santos es…	I. el veinticinco de diciembre.
__E__	10. El Día de Año Nuevo es…	J. el doce de octubre.

11 ¿Cuánto cuesta?

Look at the following newspaper ad for electronics.
Then answer the questions, spelling out the numbers.

MODELO   ¿Cuánto cuesta el microcomponente?
<u>Cuesta ciento cuarenta y nueve mil novecientos.</u>

1. ¿Cuánto cuesta el reproductor DVDs?

   Cuesta ciento veintinueve

   mil novecientos.

   _____

2. ¿Cuánto cuesta el video grabador?

   Cuesta noventa y nueve

   mil novecientos.

   _____

3. ¿Cuánto cuesta el equipo Sony MHC-RG22?

   Cuesta ciento cuarenta y nueve

   mil novecientos.

   _____

4. ¿Cuánto cuesta el equipo Sony MHC-RG33?

   Cuesta ciento sesenta y nueve

   mil novecientos.

   _____

Microcomponente SONY CMT-M70, reproductor de CD, 20 W RMSx2, modos DSGx2, sintonizador digital con memoria para 30 emisoras (20 FM/10AM), Deck full logic, control remoto
Cod. 1804130
Antes $ 179.900 Ahora $149.900

Equipo Sony MHC-RG22. 1300W PMPO, cambiador de 3 CD, Game Sync, ecualizador directo de audio/video, parlante de 3 vías
Cod. 1805446
$ 149.900

Video grabador modelo SLV-LX 77, VHS 6 cabezales Hi-Fi, stereo con sintonizador MTS máxima resolución, búsqueda de programas con perilla, sistema TRILOGIC, cabezales de 19 micrones
cod.1802046
$ 99.900

Reproductor DVD modelo DVP-NS315, Virtual Surround Sonidos envolventes utilizando sólo altavoces de TV, reproduce CD-R/RW/Lectura MP3, reductor de ruidos en líneas verticales.
Cod. 1803091
Antes $ 149.900 Ahora $129.900

Equipo Sony MHC-RG33. 1700W PMPO, cambiador de 3 CD, gabinete hexagonal, Game Sync. ecualizador directo de audio/video, parlante de 3 vías
Cod. 1805442
Antes $ 189.900 Ahora $ 169.900

12 Fechas históricas

Spell out the dates of the following historical dates in Latin American history.

MODELO   Nicaragua declara la independencia de España: 15/9/1821
el quince de septiembre de mil ochocientos veintiuno

1. Cristóbal Colón llega a Cuba: 27/10/1492

   el veintisiete de octubre de mil cuatrocientos noventa y dos

2. Hernán Cortés toma la capital de los aztecas: 13/08/1521

   el trece de agosto de mil quinientos veintiuno

3. México declara la independencia de España: 16/09/1810

   el dieciséis de septiembre de mil ochocientos diez

4. La Universidad de San Marcos en Perú abre: 12/05/1551

   el doce de mayo de mil quinientos cincuenta y uno

5. El huracán Mitch llega a Centroamérica: 31/10/1998

   el treinta y uno de octubre de mil novecientos noventa y ocho

6. Gabriel García Márquez recibe el Premio Nóbel de Literatura: 08/12/1982

   el ocho de diciembre de mil novecientos ochenta y dos

7. Crean la Organización de Estados Americanos: 30/04/1948

   el treinta de abril de mil novecientos cuarenta y ocho

8. El astronauta costarricense Franklin Chang-Díaz va al espacio: 12/01/1986

   el doce de enero de mil novecientos ochenta y seis

13 Mi cumpleaños

Write a paragraph in which you say when your birthday is, how old you will be, and whether you like the idea of turning that age a lot or not even a little bit. Also mention who is coming to your birthday and describe your plans for that day.

 Answers will vary.

_____

_____

_____

_____

_____

_____

_____

_____

_____

_____

_____

_____

_____

_____

_____

_____

Capítulo 6

Lección A

1 Crucigrama

Complete the following crossword puzzle with items found in the kitchen and on the dinner table.

Horizontal
1. Pones la ___ antes de comer.
5. Necesitas un ___ para tomar jugo.
6. Los refrescos fríos están en el ____.
7. La ___ da luz artificial.
9. Necesitas una ___ para hacer arepas calientes.

Vertical
2. Necesitas una ___ para limpiarte la boca *(mouth)*.
3. Comes en el ___.
4. Enciendes las ___ para ver de noche.
8. Necesitas un ___ para comer pescado.

2 Un mensaje en el refrigerador

Sra. Delgado left her sons a message on the refrigerator door. Complete the note, using the appropriate verbs from the list below.

ayudar	cerrar	deben	empezar
encender	pensar	poner	viajar

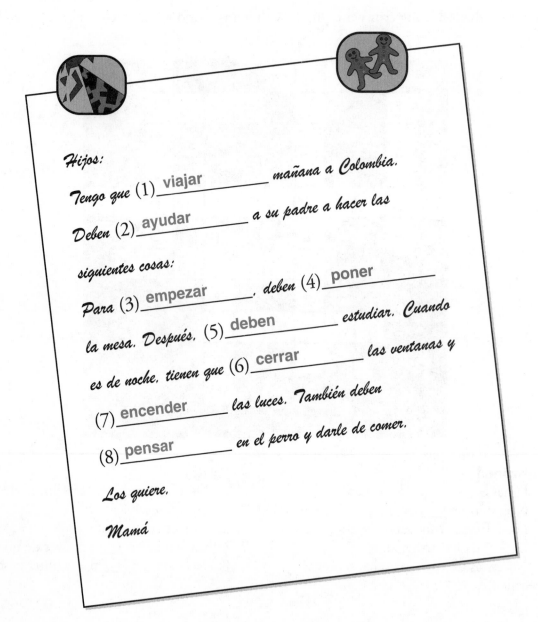

Hijos:

Tengo que (1)___viajar___ mañana a Colombia.

Deben (2)___ayudar___ a su padre a hacer las

siguientes cosas:

Para (3)___empezar___, deben (4)___poner___

la mesa. Después, (5)___deben___ estudiar. Cuando

es de noche, tienen que (6)___cerrar___ las ventanas y

(7)___encender___ las luces. También deben

(8)___pensar___ en el perro y darle de comer.

Los quiere,

Mamá

3 Venezuela

Write the following words related to Venezuela under the appropriate categories.

petróleo   Caracas   arepas   ropa vieja   perlas
Maracaibo   Mérida   cachapas   cacao

Ciudades	Comida Típica	Exportaciones
Caracas	arepas	petróleo
Maracaibo	ropa vieja	perlas
Mérida	cachapas	cacao

4 ¿Deber o tener que?

Complete the following sentences with the correct form of *deber* or *tener que*, whichever is more appropriate. **Possible answers:**

1. Ramón __tiene que__ comprar más servilletas de papel.

2. Beatriz y yo __debemos__ ayudar en la cocina.

3. Tú __debes__ hacer la tarea de español.

4. Yo __tengo que__ ir a Caracas el doce de marzo.

5. Uds. no __deben__ ver mucha televisión.

6. Félix __tiene que__ poner la mesa del comedor.

7. Nosotros no __tenemos que__ lavar los platos hoy.

8. Los estudiantes __deben__ ser más amables con el profesor.

5 Pensar, pensar de y pensar en

Choose from the different uses of *pensar* to complete each sentence.

MODELO   ¿_C_ tu familia?

A. piensas   B. piensas de   C. piensas en

1. ¿Qué __B__ mi nuevo amigo?

2. ¿Adónde __A__ ir de vacaciones?

3. ¿__A__ visitar a tus parientes en Colombia?

4. ¿__C__ tus abuelos?

5. ¿Qué __B__ la idea de ir al cine?

6. ¿Qué __A__ hacer el fin de semana?

6 ¿En qué piensas?

Complete the following conversation with the appropriate forms of the verb *pensar*.

CLAUDIA: Hola, Alonso. ¿En qué (1) piensas ?

ALONSO: (2) Pienso en mi viaje a Venezuela.

CLAUDIA: ¡Qué divertido! Mis padres y yo también (3) pensamos ir a Venezuela.

ALONSO: ¿(4) Piensan Uds. ir a la playa?

CLAUDIA: ¡Claro! Nosotros (5) pensamos ir a Playa Colorada. ¿Y tú?

ALONSO: Yo (6) pienso ir a Isla Margarita.

CLAUDIA: ¿Cuándo (7) piensas ir?

ALONSO: (8) Pienso hacer el viaje la próxima semana.

CLAUDIA: ¿Qué (9) piensa el profesor de tu viaje?

ALONSO: Él (10) piensa que debo estudiar en la playa.

CLAUDIA: ¡Yo (11) pienso que es imposible!

7 ¿Qué hacen?

Complete the sentences with the correct forms of the verbs shown in parentheses.

1. Carmen, ¿_____quieres_____ ir al concierto de piano con nosotros? (querer)

2. Ella lo _____siente_____ mucho, pero tiene que estudiar. (sentir)

3. Nosotros _____pensamos_____ comer hallacas en el restaurante venezolano. (pensar)

4. El restaurante _____cierra_____ a las diez de la noche. (cerrar)

5. Todas las noches, Marcos y Ana _____encienden_____ la televisión. (encender)

6. Yo _____prefiero_____ leer un buen libro. (preferir)

7. Los chicos _____quieren_____ ir al cine. (querer)

8. La película _____empieza_____ a las ocho de la noche. (empezar)

8 ¿Qué hacen?

Combine words from each column to write six complete, logical sentences. Make sure you use the appropriate forms of the verbs.

mis amigos	cerrar	a estudiar a las siete
yo	empezar	no poder ir a tu fiesta
mi primo	encender	la puerta del refrigerador
tú	preferir	escuchar música
mi familia y yo	querer	mirar una película
los estudiantes	sentir	la radio del carro

1. _____Answers will vary._____

2. _____

3. _____

4. _____

5. _____

6. _____

9 Categorías

Find and circle the word in each row that does not belong in the group.

MODELO	pan	sopa	(tenedor)	mantequilla
1.	cuchillo	(postre)	tenedor	cuchara
2.	plato	vaso	taza	(pimienta)
3.	sal	(cucharita)	pimienta	azúcar
4.	sopa	agua	leche	(cubiertos)
5.	(estufa)	mantel	servilleta	plato
6.	arepa	sopa	pan	(taza)

10 Ocho diferencias

Look at the two illustrations carefully and find the differences. Write the eight objects that are missing from the second illustration in the spaces provided.

Ordering will vary:

1. __el mantel__
2. __la servilleta__
3. __el plato de sopa__
4. __la cuchara__
5. __el vaso__
6. __el aceite__
7. __la mantequilla__
8. __la sal__

11 Supermercado González

Read the following advertisement and answer the questions.

1. ¿Cuánto cuesta *(costs)* el pan?

   Cuesta 6,99.
   _____

2. Si tienes 14 pesos, ¿cuántos litros de aceite puedes comprar?

   Puedo comprar dos litros.
   _____

3. ¿Qué cuesta más: el pan o la sopa?

   El pan cuesta más.
   _____

4. ¿Qué cubierto necesitas para comer sopa?

   Necesito una cuchara.
   _____

5. ¿Qué comida puedes cocinar con aceite?

   Puedo cocinar (answers will vary).
   _____

12 Este...

Write sentences saying where the following things are from, using the correct forms of the demonstrative adjective *este*.

MODELO   servilletas / Guatemala
Estas servilletas son de Guatemala.

1. mantel / España   **Este mantel es de España.**

2. tazas / Colombia   **Estas tazas son de Colombia.**

3. cubiertos / Perú   **Estos cubiertos son de(l) Perú.**

4. estufa / México   **Esta estufa es de México.**

5. plato / Venezuela   **Este plato es de Venezuela.**

6. lámpara / Chile   **Esta lámpara es de Chile.**

13 Pásame ese...

Use the illustrations and the correct forms of the demonstrative adjective *ese* to say what you want passed.

MODELO

Pásame esa cuchara.

1. **Pásame ese vaso.**

2. **Pásame esos cuchillos.**

3. **Pásame esas servilletas.**

4. **Pásame esos tenedores.**

5. **Pásame esa taza.**

6. **Pásame ese plato.**

14 Aquel...

Complete the following paragraph with the correct forms of the demonstrative adjective *aquel*.

(1)__Aquellos_____ chicos son mis primos. Ellos viven en (2)__aquella_____ casa

amarilla. (3)__Aquella_____ señora es mi tía. Ella trabaja en (4)__aquel_____

restaurante de allá. Ella prepara las arepas. ¡(5)__Aquellas_____ arepas son riquísimas!

15 En un restaurante

Imagine you are at a restaurant with Ramiro, a friend who complains about everything. Complete the sentences with the appropriate forms of *este, ese* or *aquel,* based upon the point of view of Ramiro.

1. __Esta_____ sopa no está caliente.

2. __Ese_____ pan sí está caliente.

3. __Estas_____ servilletas son viejas.

4. __Aquella_____ mesa no tiene mantel.

5. __Esos_____ chicos comen mucho.

6. Me gustaría comer __aquel_____ postre.

7. __Estos_____ vasos están sucios.

8. Los vasos de __esa_____ mesa están limpios.

16 Una cena especial

Imagine you are hosting a dinner at your house in honor of a friend's birthday. Complete the memos below, telling friends what to do in order to help. Think about chores that need to be done, foods that need to be bought and items needed to set the table.

Answers will vary.

memo

Mónica:

Debes ayudar a _____

_____

_____

También necesitas _____

_____

_____

_____

memo

Roberto:

¿Por qué no vas a supermercado y compras

_____

_____

_____

_____

_____

_____

_____

memo

Angélica:

¿Por qué no pones tú la mesa? Necesitas
poner _____

_____

_____

_____

_____

_____

_____

_____

_____

Lección B

1 Plano de casa

A. Look at the following floor plan and label each room *baño, cocina, comedor, cuarto, garaje, patio* and *sala*.

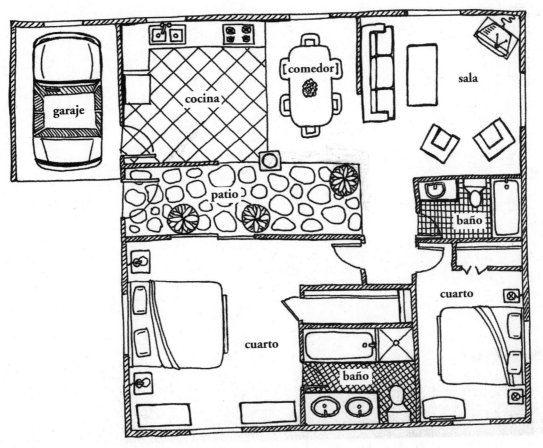

B. Read the following statements and decide whether they are *cierto* (true) or *falso* (false), based upon the floor plan above. Write **C** or **F** in the space provided.

   C   1. La casa tiene dos baños.

   F   2. Los cuartos están en el primer piso.

   F   3. El garaje es muy grande.

   F   4. La cocina está cerca del baño.

   C   5. La sala está al lado del comedor.

   F   6. La televisión está en el cuarto.

   C   7. La casa no tiene escaleras.

   C   8. Los cuartos están cerca del patio.

2 Sopa de letras

In the word square below, find and circle eight words used to describe the different parts of a house. The words may read horizontally, vertically or diagonally.

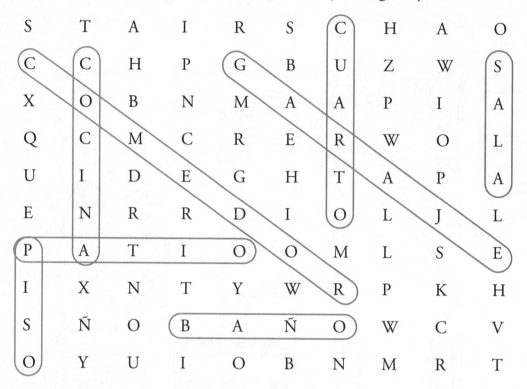

3 ¿Dónde está?

Say in what part of the house Ignacio is, based on his clues.

MODELO   Pongo la mesa.
Está en el comedor.   **Possible answers:**

1. Cierro la puerta del refrigerador.

   Está en la cocina.

2. Monto al carro.

   Está en el garaje.

3. Busco mis zapatos.

   Está en el cuarto.

4. Canto en la ducha *(shower)*.

   Está en el baño.

5. Veo muchas plantas.

   Está en el patio.

6. Hablo con los amigos de mis padres.

   Está en la sala.

4 Colombia

Imagine you found the following Web page about Colombia with some words missing. Complete the paragraph with the words from the list.

Cartagena   cumbia   Oro   Sur

vallenatos   esmeraldas   Bogotá   muralla

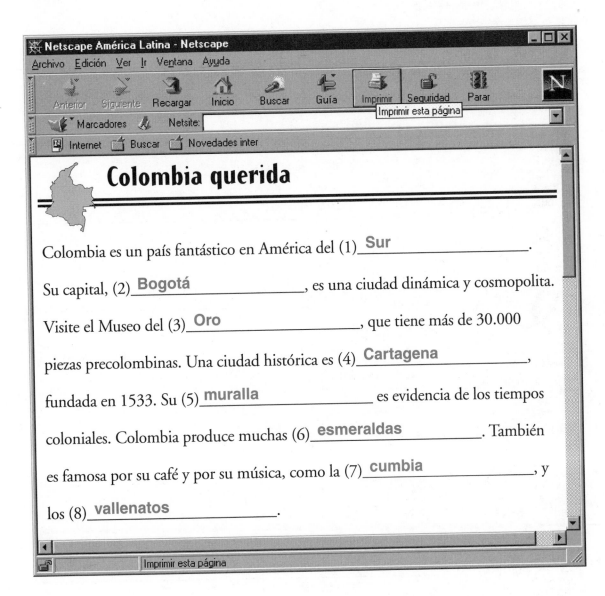

Netscape América Latina - Netscape

Archivo Edición Ver Ir Ventana Ayuda

Anterior Siguiente Recargar Inicio Buscar Guía Imprimir Seguridad Parar

Imprimir esta página

Marcadores Netsite:

Internet Buscar Novedades inter

Colombia querida

Colombia es un país fantástico en América del (1)__Sur_____.

Su capital, (2)__Bogotá_____, es una ciudad dinámica y cosmopolita.

Visite el Museo del (3)__Oro_____, que tiene más de 30.000

piezas precolombinas. Una ciudad histórica es (4)__Cartagena_____,

fundada en 1533. Su (5)__muralla_____ es evidencia de los tiempos

coloniales. Colombia produce muchas (6)__esmeraldas_____. También

es famosa por su café y por su música, como la (7)__cumbia_____, y

los (8)__vallenatos_____.

Imprimir esta página

5 Dicen

What are the people in the illustration saying? Complete the sentences, using the appropriate form of the verb *decir*.

MODELO

Tomás <u>dice: "¡Hola!"</u>.

1. Daniela __dice: "Aló"._____

2. Yo __digo: "Por favor"._____

3. Diana y Mario __dicen: "¡Qué grande!".___

4. Matilde __dice: "Prefiero caminar"._____

5. Luisito y Sara __dicen: "Gracias"._____

6. Doña Carla __dice: "De nada"._____

7. Julio y yo __decimos: "¡Vamos a Colombia!".__

8. Ricardo __dice: "Adiós"._____

6 ¿Qué dicen?

Complete the following sentences, using the appropriate forms of the verb *decir.*

1. Mi hermano ___dice___ que no le gusta escribir.

2. Mis primos ___dicen___ que ellos prefieren hablar por teléfono.

3. Carlota ___dice___ que la casa es muy pequeña.

4. Yo ___digo___ que la casa es cómoda.

5. Mi hermano y yo ___decimos___ que nos gustaría ir a Cali.

6. Tú siempre ___dices___ que te gustaría ir de compras.

7 ¿Qué dice el periódico?

Look at the following newspaper ad. Then answer the questions, telling what the ad says.

MODELO   ¿Tienen las casas closets?
<u>Sí, dice que tienen closets.</u>

1. ¿Hay casas de dos plantas?

   Sí, dice que hay de dos plantas.

2. ¿Cuántos baños tienen las casas?

   Dice que tienen dos baños.

3. ¿Cuántos cuartos, o recámaras, tienen las casas?

   Dice que hay casas de dos o tres recámaras.

4. ¿Cuánto es la mensualidad *(montly payment)*?

   Dice que la mensualidad es $4,417.00 pesos.

8 ¿Qué tienen?

What are the following people saying, according to the illustrations? Fill in the speech bubbles with *Tengo* and the nouns *calor, frío, ganas de, hambre, miedo, prisa, sed* and *sueño*.

MODELO
Tengo ganas de montar a caballo.

1. Tengo prisa.

2. Tengo sueño.

3. Tengo miedo.

4. Tengo frío.

5. Tengo hambre.

6. Tengo calor.

7. Tengo sed.

8. Tengo ganas de escribir.

9 Definiciones

Complete the definitions, using the words from the list.

hambre   mentira   perdón   prestada   repito   sed

1. Si no digo la verdad, digo una __mentira__ .

2. Si quiero comer, tengo __hambre__ .

3. Si digo "Lo siento", pido __perdón__ .

4. Si digo lo que tú dices, __repito__ lo que dices.

5. Si tengo __sed__ , tomo agua.

6. Si quiero la bicicleta de mi hermano, pido __prestada__ su bicicleta.

10 No es verdad

Say that the following statements are not true by stating the opposite of the underlined words. Follow the model.

MODELO   La abuela tiene <u>mucho tiempo</u>.
<u>No es verdad. La abuela tiene prisa.</u>

1. Jimena prefiere una casa <u>pequeña</u>.

   __No es verdad. Jimena prefiere una casa grande.__

2. Yolanda tiene <u>mucha</u> hambre.

   __No es verdad. Yolanda tiene poca hambre.__

3. Cartagena está <u>cerca</u>.

   __No es verdad. Cartagena está lejos.__

4. Pablo debe <u>abrir</u> las ventanas.

   __No es verdad. Pablo debe cerrar las ventanas.__

5. Gilberto tiene <u>frío</u>.

   __No es verdad. Gilberto tiene calor.__

11 Una carta de Medellín

Complete the following letter with the correct forms of the verbs in parentheses.

Querida Érica,

¿Cómo estás? Yo estoy bien. Ahora (1. vivir) __vivo__ con mis abuelos en

Medellín, Colombia. Mis abuelos (2. tener) __tienen__ una casa grande.

Ellos (3. pensar) __piensan__ comprar un apartamento pero yo

(4. preferir) __prefiero__ vivir en esta casa. Las ventanas no

(5. cerrar) __cierran__ bien y hay luces que no (6. encender) __encienden__

pero tiene "carácter". Todas las noches, mis abuelos y yo

(7. comer) __comemos__ en el patio. Después, (8. salir) __salimos__

a la plaza y allí (9. hablar) __hablamos__ con los amigos.

Érica, ¿por qué no (10. escribir) __escribes__ o (11. llamar) __llamas__

por teléfono?

Te quiero,

Armando

12 Repite mucho

Complete the following paragraph with the correct forms of the verb *repetir*.

Yo no (1) __repito__ lo que mis amigos dicen porque no me gustan las personas

que (2) __repiten__ todo. Mi amigo, Víctor, (3) __repite__ mucho.

Si yo digo "Fantástico", él (4) __repite__ "Fantástico". ¿Piensas que si mis amigos

y yo (5) __repetimos__ lo que Víctor dice, él no va a repetir más? ¿Y tú?

¿(6) __Repites__ lo que tus amigos dicen o no?

13 ¿Qué piden?

Say what everyone orders at the restaurant, using the cues and the appropriate form of the verb *pedir*.

MODELO Leonor / agua mineral
Leonor pide agua mineral.

1. yo / sopa de pollo   Yo pido sopa de pollo.

2. los chicos / postre   Los chicos piden postre.

3. la Sra. Duarte / ensalada   La Sra. Duarte pide ensalada.

4. tú / pan con mantequilla   Tú pides pan con mantequilla.

5. nosotros / arepas   Nosotros pedimos arepas.

6. Guillermo / jugo de naranja   Guillermo pide jugo de naranja.

7. Carlos y Elena / pescado   Carlos y Elena piden pescado.

8. Paco y yo / hallacas   Paco y yo pedimos hallacas.

14 *Pedir* y *preguntar*

Complete the following sentences with the correct forms of *pedir* or *preguntar,* whichever is appropriate.

1. Verónica _pide_ prestado un mantel porque no tiene uno.

2. La abuela _pregunta_ por qué Verónica necesita un mantel.

3. Los amigos _preguntan_ a qué hora es la fiesta.

4. Eduardo _pide_ perdón porque no tiene ganas de salir.

5. Nosotros _preguntamos_: "¿Qué tienes?".

6. Verónica y Nuria _piden_ ayuda en la cocina.

7. Yo _pido_ un vaso de agua fría.

8. Tú _pides_ permiso para ir al baño.

9. Hernán _pregunta_ dónde está el baño.

10. Jaime dice una mentira y después _pide_ perdón.

15 Una casa ideal

What does your ideal house look like? Make a sketch of the house or draw its floor plan in the space provided. Then, write a paragraph describing the rooms and their location.

Answers will vary.

_____

_____

_____

_____

_____

_____

_____

_____

Capítulo 7

Lección A

1 Crucigrama

Complete the following crossword puzzle with words used for pastimes.

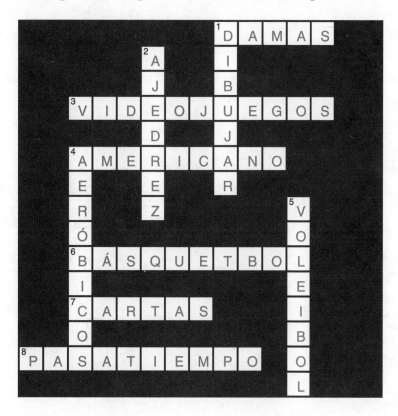

Horizontal
1. Para jugar a las ___, necesitas fichas *(counters)* rojas y negras.
3. Nintendo® hace muchos ___.
4. El fútbol ___ es diferente que el fútbol *(soccer)*.
6. Necesitas una pelota *(ball)* y una canasta *(hoop)* para jugar al ___.
7. Si tienes un A♥ o un 5♦, juegas a las ___.
8. Un ___ es una actividad divertida.

Vertical
1. Necesitas papel y lápices de color para ___.
2. Si una pieza es un caballo, juegas al ___.
4. Los ___ son ejercicios que haces con música.
5. Para jugar al ___, le das a la pelota *(ball)* con las manos o los brazos.

2 ¿Qué te gusta hacer?

Say if you like or you do not like to do the illustrated activities. Follow the model.

 MODELO

Me (No me) gusta jugar al fútbol americano.

1.

Me (No me) gusta

jugar a las damas.

5.

Me (No me) gusta jugar

al básquetbol.

2.

Me (No me) gusta

jugar al voleibol.

6.

Me (No me) gusta jugar

al ajedrez.

3.

Me (No me) gusta

hacer aeróbicos.

7.

Me (No me) gusta jugar

a los videojuegos.

4.

Me (No me) gusta

jugar a las cartas.

8.

Me (No me) gusta dibujar.

3 Argentina

Write each letter labeled on the map next to the corresponding description of the place.

MODELO   B This is a tall mountain.

__D__   A. It is the capital of Argentina.

__C__   B. The *gauchos* tend herds of cattle on these plains.

__E__   C. It is a world-class ski resort.

__F__   D. On these plains, sheep are raised.

__A__   E. These waterfalls are breathtaking.

4 Una familia atlética

Complete the following paragraph with the appropriate forms of the verb *jugar*.

A mi familia le gusta mucho jugar. Todos los sábados, mi hermana Raquel

(1) **juega** _____ al básquetbol. Mis padres (2) **juegan** _____ a las cartas, yo

(3) **juego** _____ al ajedrez y mis primos (4) **juegan** _____ al fútbol.

Por la noche, mis hermanos y yo (5) **jugamos** _____ a los videojuegos. Y tú, ¿a qué

(6) **juegas** _____ los sábados?

5 ¡Vamos a Argentina!

Look at the following ad for trips around Argentina and answer the questions.

1. ¿Cuánto cuesta ir a Iguazú?

   Cuesta $422.

2. ¿Cuánto cuesta ir a Bariloche?

   Cuesta $432.

3. ¿Adónde puedes ir por $439?

   Puedo ir a Salta La Linda.

4. ¿Adónde puedes ir por $569?

   Puedo ir a Península Valdés.

6 ¿Quién puede ir?

Complete the sentences on the next page to say who can and cannot go on a trip to Bariloche.

Sí va a Bariloche	No va a Bariloche
yo	Roxana
Ana	Sr. Valdez
Teresa	Carlos
tú	Víctor
Samuel	Luis

MODELO   Roxana <u>no puede ir.</u>

1. Carlos __no puede ir_____.

2. Yo ___puedo ir_____.

3. Teresa __puede ir_____.

4. Víctor y Luis __no pueden ir_____.

5. Ana y yo __podemos ir_____.

6. El Sr. Valdez __no puede ir_____.

7. Tú __puedes ir_____.

8. Samuel y yo __podemos ir_____.

7 ¿Cuándo vuelven?

Use the cues and the appropriate form of the verb *volver* to write complete sentences, saying when everyone returns from the trip.

MODELO   Ana / sábado
         <u>Ana vuelve el sábado.</u>

1. yo / sábado __Yo vuelvo el sábado._____

2. tú / domingo __Tú vuelves el domingo._____

3. Teresa / jueves __Teresa vuelve el jueves._____

4. Ana y yo / sábado __Ana y yo volvemos el sábado._____

5. Samuel / martes __Samuel vuelve el martes._____

6. mis tíos / viernes __Mis tíos vuelven el viernes._____

7. Raúl y Laura / lunes __Raúl y Laura vuelven el lunes._____

8. Hugo / miércoles __Hugo vuelve el miércoles._____

8 ¡Vamos!

Complete the following conversation with the words from the list.

alquilar   apagar   casi   control remoto   dormir
estupendo   mismo   segundo   siglos

ERNESTO: Hola, Eugenia. ¿Qué hora es?

EUGENIA: Son las doce menos diez. Es (1) _casi_ mediodía.

ERNESTO: ¿Dónde está Memo?

EUGENIA: Está en su cuarto. Quiere (2) _dormir_ porque está muy cansado.

ERNESTO: ¿Quieres ir a (3) _alquilar_ una película?

EUGENIA: Sí, (4) _estupendo_. Hace (5) _siglos_ que no

veo una película. ¿Cuándo quieres ir?

ERNESTO: Vamos ahora (6) _mismo_.

EUGENIA: Un (7) _segundo_. Primero debo (8) _apagar_

la televisión. ¿Dónde está el (9) _control remoto_?

ERNESTO: Aquí está. ¡Vamos!

9 El tiempo

Rewrite the following periods of time in order, from shortest to longest.

minuto   siglo   mes   año
semana   día   hora   segundo

segundo → _minuto_ → _hora_ →

día → _semana_ → _mes_ →

año → _siglo_

10 ¿Cuánto tiempo?

Using the cues, write questions asking how long has it been since these people did the following things. Follow the model.

MODELO   Vicente / jugar a las damas
        ¿Cuánto tiempo hace que Vicente no juega a las damas?

1. Silvia / alquilar una película

   ¿Cuánto tiempo hace que Silvia no alquila una película?

2. tú / jugar al voleibol

   ¿Cuánto tiempo hace que no juegas al voleibol?

3. Lola y Paco / correr

   ¿Cuánto tiempo hace que Lola y Paco no corren?

4. Juanita / hacer aeróbicos

   ¿Cuánto tiempo hace que Juanita no hace aeróbicos?

5. nosotros / viajar

   ¿Cuánto tiempo hace que nosotros no viajamos?

11 Hace mucho tiempo

Now answer the questions from Activity 10, using the following cues.

MODELO   mucho tiempo
        Hace mucho tiempo que Vicente no juega a las damas.

1. un mes

   Hace un mes que Silvia no alquila una película.

2. tres días

   Hace tres días que no juego al voleibol.

3. una semana

   Hace una semana que Lola y Paco no corren.

4. mucho tiempo

   Hace mucho tiempo que Juanita no hace aeróbicos.

5. un año

   Hace un año que (nosotros) no viajamos.

12 Están haciendo muchas cosas

Say what the following people are doing right now, based upon the drawing. Write complete sentences, using the present progressive.

MODELO   Rosario
Rosario está haciendo aeróbicos.

Possible answers:

1. el Sr. Torres   El Sr. Torres está cocinando.

2. tú   Tú estás leyendo una revista.

3. doña Petra   Doña Petra está durmiendo.

4. Ricardo   Ricardo está haciendo las tareas.

5. don Pablo   Don Pablo está viendo televisión.

6. los chicos   Los chicos están jugando al ajedrez.

7. nosotros   Nosotros estamos jugando al básquetbol.

13 ¿Estás haciéndolo?

Answer the following questions affirmatively, in two different ways: first, by placing the direct-object pronoun before the verb, and second, by attaching the direct-object pronoun to the verb form. Follow the model.

MODELO   ¿Estás haciendo las tareas?
<u>Sí, las estoy haciendo.</u> / <u>Sí, estoy haciéndolas.</u>

1. ¿Estás poniendo la mesa?

   Sí, la estoy poniendo.

   Sí, estoy poniéndola.

2. ¿Estás alquilando las mismas películas?

   Sí, las estoy alquilando.

   Sí, estoy alquilándolas.

3. ¿Estás leyendo el periódico?

   Sí, lo estoy leyendo.

   Sí, estoy leyéndolo.

4. ¿Estás tomando el jugo de naranja?

   Sí, lo estoy tomando.

   Sí, estoy tomándolo.

5. ¿Estás viendo la telenovela?

   Sí, la estoy viendo.

   Sí, estoy viéndola.

6. ¿Estás celebrando tu cumpleaños?

   Sí, lo estoy celebrando.

   Sí, estoy celebrándolo.

7. ¿Estás llamando a tus amigos?

   Sí, los estoy llamando.

   Sí, estoy llamándolos.

8. ¿Estás comprendiendo el español?

   Sí, lo estoy comprendiendo.

   Sí, estoy comprendiéndolo.

Nombre: _____ Fecha: _____

14 Mis pasatiempos

Imagine you are in a chat room, discussing pastimes. Answer the questions of the person on-line.

Answers will vary.

File Edit View Go Window Help

People Here: 2
♦ José
♦ Ana

>¿Cuáles son tus pasatiempos favoritos?

> _____

_____

_____

>¿Cuánto tiempo hace que los haces?

> _____

_____

_____

>¿Cuál pasatiempo no haces en mucho tiempo?

> _____

_____

_____

>¿Cuánto tiempo hace que no lo haces? ¿Por qué?

> _____

_____

_____

Si...

Send

Private Room | Places To Go | Help
Locate | Exit Chat

Ignore | Identify
Phone | Message

Applet VpChat running

Lección B

1 ¿Qué estación es?

Look at the following drawings and read the statements. Write the letter of the drawing that matches the statement in the space provided.

A.

B.

C.

D.

B 1. Es verano.

A 2. Llueve.

A 3. Hay muchas flores.

C 4. Está montando en patineta.

D 5. Está patinando sobre hielo.

D 6. Hace frío.

B 7. Está dando un paseo por la playa.

C 8. Es otoño.

A 9. Es primavera.

B 10. Hace mucho calor.

D 11. Es invierno.

B 12. Hace sol.

2 El tiempo y tú

Complete the following statements. **Answers will vary.**

1. Cuando hace sol, me gusta _____.

2. Cuando hace frío, mis amigos prefieren _____.

3. En julio no podemos esquiar en Colorado pero en cambio podemos esquiar en

_____.

4. Cuando hace mucho calor, yo _____.

5. Donde vivo, el mes de _____ llueve más.

3 Las estaciones en Chile

Find and circle the four seasons of the year and three activities you can do during these seasons in the word square below. The words may read vertically, horizontally or diagonally.

```
J  S  N  V  E  R  A  N  O  S  I
A  E  N  O  M  S  R  E  A  E  N
O  T  O  Ñ  O  A  W  V  B  S  V
E  E  W  M  N  O  B  B  R  Q  I
A  Q  N  I  U  I  R  L  I  U  E
G  U  T  E  V  R  E  A  L  I  R
O  A  S  E  R  G  R  M  B  A  N
P  R  I  M  A  V  E  R  A  R  O
T  T  A  L  O  B  T  U  X  R  E
D  A  R  U  N  P  A  S  E  O  E
```

4 Chile

Read each statement about Chile. If it is true *(cierto)*, write **C** in the space provided. If it is false *(falso)*, write **F.**

___F___ 1. Chile está sobre el océano Atlántico.

___C___ 2. La capital de Chile es Santiago.

___C___ 3. El libertador de Chile es Bernardo O'Higgins.

___C___ 4. Pablo Neruda y Gabriela Mistral son dos poetas chilenos.

___F___ 5. Puedes esquiar en Viña del Mar.

___F___ 6. En Chile, en enero, febrero y marzo están en invierno.

___C___ 7. En julio, puedes esquiar en Portillo.

5 Contesta

Answer the following questions, using complete sentences.

1. ¿A qué hora sales de la casa por la mañana?

   Salgo de la casa a las...
   _____

2. ¿En qué cuarto de la casa haces las tareas de la escuela?

   Hago las tareas en...
   _____

3. ¿Cuánto tiempo hace que no pones la mesa en casa?

   No pongo la mesa en casa hace...
   _____

4. ¿Cuántas horas de televisión ves en una semana?

   Veo... horas de televisión en una semana.
   _____

5. ¿Por dónde das paseos con tus amigos/as?

   Paseo con mis amigos por...
   _____

6. ¿Sabes patinar sobre hielo?

   Sí (No, no) sé patinar sobre hielo.
   _____

6 ¿Qué haces?

Combine elements from each column to write six complete sentences with the pronoun *yo*.

MODELO   Yo patino sobre hielo en invierno.

patinar	la maleta	en patineta
dar	sobre hielo	por la puerta
poner	montar	por la playa
hacer	de la casa	en el cine
saber	flores	por toda la casa
salir	un paseo	antes de viajar
ver	una película	en invierno

Possible answers:

1. Yo doy un paseo por la playa.
   _____

2. Yo pongo flores por toda la casa.
   _____

3. Yo hago la maleta antes de viajar.
   _____

4. Yo sé montar en patineta.
   _____

5. Yo salgo de la casa por la puerta.
   _____

6. Yo veo una película en el cine.
   _____

7 Mis amigos y yo

Complete each sentence with the appropriate form of the verb in parentheses.

1. Mis amigos y yo __esquiamos_____ en Farellones. (esquiar)

2. Beatriz __esquía_____ muy bien. (esquiar)

3. Tú __envías_____ flores a tu abuela, ¿verdad? (enviar)

4. Nosotros __continuamos_____ a estudiando español. (continuar)

5. Daniel __copia_____ la lista de palabras nuevas. (copiar)

6. ¿__Continúas_____ tú jugando a los videojuegos? (continuar)

7. Laura y Tobías te __envían_____ muchos saludos. (enviar)

8 Un e-mail

Complete the following e-mail with the appropriate forms of the verbs from the list.

copiar   continuar   enviar   esquiar   saber   tener

▼	Normal ▼	MIME ▼	QP ▣ ▤ ▸| ▤	Enviar

Para: Saúl
De: Mónica
Asunto: ¡Hola!
Cc:

Querido Saúl,

¿Cómo estás? ¿Todavía (1)__continúas_____ esquiando los fines de semana?

Yo ya no (2)__esquío_____ pero en cambio patino sobre hielo. Aquí te

(3)__envío_____ una foto de mis amigos y yo patinando.

Oye, no (4)__tengo_____ la dirección electrónica de Arturo.

¿Por qué no la (5)__copias_____ y me la mandas? Gracias.

Yo (6)__sé_____ que estás ocupado.

9 El tiempo en Chile

What is the weather like in Chile? Look at the following newspaper clipping and answer the questions.

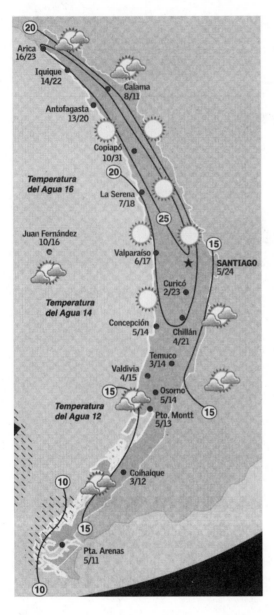

1. ¿Cuál es la temperatura máxima de Santiago?

   Es 24 grados.

2. ¿Cuál es la temperatura mínima de Juan Fernández?

   Es 10 grados.

3. ¿Está soleado en Arica?

   No, no está soleado. Está nublado.

4. ¿Qué tiempo hace en Punta Arenas?

   En Punta Arenas llueve.

5. ¿Qué tiempo hace en Valparaíso?

   En Valparaíso hace sol/está soleado.

10 ¿Qué tiempo hace?

For each drawing, write one sentence describing the weather.

Possible answers:

<u>Hace sol.</u>

1. <u>Nieva.</u>

4. <u>Llueve.</u>

2. <u>Hay neblina.</u>

5. <u>Hace viento.</u>

3. <u>Está nublado.</u>

11 ¿Qué temperatura hace?

Look at the list of cities around the world and their high temperature in degrees centigrade. Decide whether it's hot, cold or mild. Write *Hace calor, Hace frío* or *Hace fresco* in the space provided.

1. Madrid 2°C <u>Hace frío.</u>

2. Panamá 33°C <u>Hace calor.</u>

3. Managua 31°C <u>Hace calor.</u>

4. La Paz 21°C <u>Hace fresco.</u>

5. Santiago 31°C <u>Hace calor.</u>

6. Nueva York 4°C <u>Hace frío.</u>

7. Bogotá 19°C <u>Hace fresco.</u>

8. Los Ángeles 17°C <u>Hace fresco.</u>

12 Deportistas

Look at each drawing and decide what kind of athlete each person is. Write a complete sentence, naming the person who participates in that sport. Follow the model.

MODELO

Armando es patinador.

1. Pedro y Orlando

Pedro y Orlando son tenistas.

_____

2. Selena

Selena es corredora.

_____

3. las hermanas Franco

Las hermanas Franco son

patinadoras.

4. Miguel

Miguel es futbolista/

jugador de fútbol.

5. Maira y Olga

Maira y Olga son

basquetbolistas.

6. Octavio

Octavio es beisbolista.

_____

7. Sarita

Sarita es futbolista/

jugadora de fútbol.

8. mis primos

Mis primos son corredores.

_____

13 ¿En qué lugar?

The following newspaper clipping shows the results of a bicycle race in Buenos Aires, Argentina. Complete the sentences that follow with the appropriate ordinal numbers. Follow the model.

MODELO   Eddy Cisneros llega en <u>cuarto</u> lugar.

La clasificación general		
Categoría élite		(120 km)
Pos. Ciclista	Equipo	Tiempo
1º Pedro Prieto	Imperial Cord	2h49m
2º Leandro Missineo	Tres de Febrero	m.t.
3º Anibal Alborcen	Keops	m.t.
4º Eddy Cisneros	Coach	m.t.
5º Darío Piñeiro	Tres Arroyos	m.t.
6º Franco Byllo	Bancalari	m.t.
7º David Kenig	Tres de Febrero	m.t.
8º Luis Lorenz	Tres de Febrero	m.t.
9º Daniel Capella	Tres de Febrero	m.t.
10º Gastón Corsaro	Tres Arroyos	m.t.

Promedio del ganardor: 42 km/ h.

1. Pedro Prieto llega en **primer** _____ lugar.

2. Gastón Corsaro llega en **décimo** _____ lugar.

3. Darío Piñeiro llega en **quinto** _____ lugar.

4. Franco Byllo llega en **sexto** _____ lugar.

5. Leandro Missineo llega en **segundo** _____ lugar.

6. Daniel Capella llega en **noveno** _____ lugar.

7. Anibal Alborcen llega en **tercer** _____ lugar.

8. Luis Lorenz llega en **octavo** _____ lugar.

9. David Kenig llega en **séptimo** _____ lugar.

14 Primeros en los Juegos Olímpicos

Spanish-speaking countries have always participated in the Olympic Games. Complete the following sentences with the appropriate form of *primer* to learn about their accomplishments.

1. Chile fue el único *(only)* país latinoamericano que participó en los __primeros__ Juegos Olímpicos modernos en 1896.

2. El argentino Delfo Cabrera fue el corredor que llegó en __primer__ lugar en el maratón en 1948.

3. En 1972, el cubano Alberto Juantorena fue el __primer__ corredor en terminar los 400 metros y los 800 metros.

4. En 1996, la costarricense Claudia Poll fue la __primera__ nadadora en terminar los 200 metros.

5. Jefferson Pérez fue el __primer__ deportista de Ecuador en ganar *(win)* una medalla de oro en 1996.

6. Soraya Jiménez Mendivil ganó *(won)* una medalla de oro en el 2000, la

   __primera__ mujer *(woman)* mexicana en hacerlo.

15 ¿Qué mes es?

Answer the following questions in complete sentences.

1. ¿Cuál es el primer mes del año?

   Enero es el primer mes del año.

2. ¿Cuál es el octavo mes del año?

   Agosto es el octavo mes del año.

3. ¿Cuál es el tercer mes del año?

   Marzo es el tercer mes del año.

4. ¿Cuál es el quinto mes del año?

   Mayo es el quinto mes del año.

16 El pronóstico del tiempo

Write today's and tomorrow's weather forecast for your city and for Santiago, Chile. Draw an appropriate weather symbol in each box below. Then describe the weather in words and name some activities for which that weather is perfect.

EL PRONÓSTICO DEL TIEMPO

Aquí | **En Santiago de Chile**

Hoy	Mañana	Hoy	Mañana

Answers will vary.

Capítulo 8

Lección A

1 ¿Qué están haciendo?

Look at the following drawing. Write what each family member is doing right now to help with the housework.

MODELO Andrés <u>está limpiando el baño.</u>

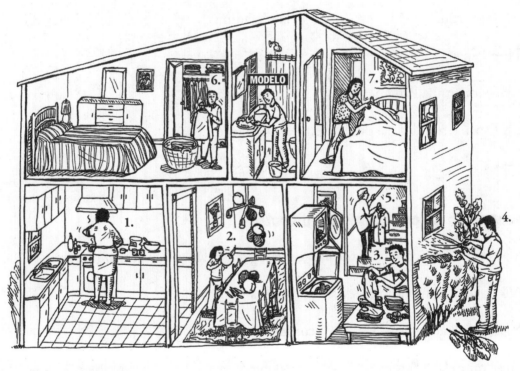

Possible answers:

1. La señora Rojas <u>**está cocinado/preparando la comida**</u>.

2. Mariana <u>**está adornando el comedor**</u>.

3. Gustavo <u>**está doblando la ropa**</u>.

4. El señor Rojas <u>**está trabajando en el jardín**</u>.

5. Doña Elmira <u>**está subiendo un abrigo**</u>.

6. Raúl <u>**está colgando la ropa**</u>.

7. Rosario <u>**está haciendo la cama**</u>.

2 España

Circle the best completion for each statement about Spain.

1. Hay pinturas prehistóricas en las cuevas de…

   (A. Altamira.)   B. Barcelona.   C. Sevilla.

2. …financiaron el viaje de Cristóbal Colón.

   A. Los romanos   (B. Los Reyes Católicos)   C. Juan Carlos I

3. De 1936 a 1975, el gobierno (government) de España era una…

   A. monarquía.   (B. dictadura.)   C. tertulia.

4. Hoy, España es…

   (A. una Monarquía Parlamentaria.)   B. una dictadura.   C. un país comunista.

5. En España, se habla…, catalán, euskera y gallego.

   A. inglés   B. francés   (C. castellano)

3 Pronombres de complemento directo

Complete each sentence with the appropriate *pronombre de complemento directo*.

MODELO   Voy a comprar una revista y _la_ voy a leer.

1. Víctor ve el abrigo y _lo_____ compra.

2. Yo siempro lavo la ropa y _la_____ doblo.

3. Pintamos la pared y luego _la_____ adornamos.

4. Los estudiantes miran las palabras y _las_____ copian.

5. Vero va a alquilar tres películas y _las_____ va a ver esta noche.

6. ¿Por qué no compramos un nuevo disco compacto y _lo_____ escuchamos?

7. Héctor hace las maletas y Sonia _las_____ abre.

4 Pronombres de complemento indirecto

Complete the sentences with the correct indirect-object pronouns.

MODELO   ¿<u>Les</u> preparas la comida a tus hermanos?

1. Mañana, <u>le</u> voy a lavar el carro a papá.

2. Mario <u>nos</u> prepara a nosotros una comida especial.

3. Paloma <u>le</u> sube a la abuela el café.

4. Rodrigo <u>te</u> escribe una carta, pero tú no contestas.

5. Mamá <u>les</u> limpia el cuarto a los niños.

6. Yo <u>le</u> lavo la ropa a Joaquín y él <u>me</u> la dobla.

5 Otra vez

Rewrite the following sentences by moving the indirect-object pronoun to another position.

MODELO   ¿Me puedes subir el abrigo? / <u>¿Puedes subirme el abrigo?</u>

1. Le estoy leyendo el periódico al abuelo.
   Estoy leyéndole el periódico al abuelo.

2. Quiero enviarte un correo electrónico.
   Te quiero enviar un correo electrónico.

3. ¿Puedes alquilarme una película divertida?
   ¿Me puedes alquilar una película divertida?

4. Les debes ayudar a tus padres en casa.
   Debes ayudarles a tus padres en casa.

5. Te estamos limpiando el cuarto.
   Estamos limpiándote el cuarto.

6. Esta noche voy a adornarle la casa a Carlota.
   Esta noche le voy a adornar la casa a Carlota.

7. ¿Por qué no nos quieres cantar una canción?
   ¿Por qué no quieres cantarnos una canción?

8. Queremos celebrarle el cumpleaños a la profesora.
   Le queremos celebrar el cumpleaños a la profesora.

9. Les estoy dejando mi equipo de sonido.
   Estoy dejándoles mi equipo de sonido.

6 ¿A quién le compras?

Imagine you have a gift certificate for the bookstore Universal. Look at some of the books on sale. Make a list of five books you will buy your family members and friends. Make sure to use the appropriate object pronoun and *a* followed by a noun to clarify to whom you are referring.

MODELO   <u>Le compro *Silabario Castellano* a mi hermanita.</u>

Answers will vary.

1. _____

2. _____

3. _____

4. _____

5. _____

7 ¿Qué acaban de hacer?

Combine elements from each column to write six complete sentences with the appropriate form of the verb *acabar de*.

MODELO   Uds. acaban de adornar la sala.

Uds.		adornar	la cocina
yo		hacer	la cama
Lorenzo		preparar	en el jardín
los hermanos	acabar de	doblar	al primer piso
Mónica		limpiar	la comida
tú		trabajar	la ropa
Lola y yo		subir	la sala

Possible answers:

1. Yo acabo de hacer la cama.

2. Lorenzo acaba de preparar la comida.

3. Los hermanos acaban de doblar la ropa.

4. Mónica acaba de limpiar la cocina.

5. Tú acabas de trabajar en el jardín.

6. Lola y yo acabamos de subir al primer piso.

8 Crucigrama

Complete the following crossword puzzle.

Horizontal

1. inteligente

4. Como cereal con _____.

5. Tengo que _____ la aspiradora por la sala.

9. Necesito _____ el cuarto porque está desordenado *(messy)*.

10. Para _____, necesitas una escoba *(broom)*.

Vertical

2. Necesito _____ la basura.

3. Cocinamos sopa en una _____.

6. Después de comer, vamos a _____ la mesa.

7. Debes poner las cosas en su _____.

8. Voy a _____ de comer al perro.

9 ¿Qué oyen?

Look at the schedule for Radio Premium. (Notice that the schedule uses the 24-hour clock.) Write complete sentences, using the correct form of the verb *oír* to indicate what program each person listens to at the given time.

MODELO   Diego / 17:00
<u>Diego oye La guitarra hoy.</u>

Radio Premium

10.00: La cantata del domingo.
12.00: Festival Premium.
13.00: Radio Jazz (Carlos Allo).
14.00: Divertimento (Jorge Rocca).
15.00: Rarezas (Carlos Majlis).
17.00: La guitarra hoy (Marcelo Gallardo).
18.00: Música insólita (Ricardo Forno).
20.00: Colección Beethoven.
24.00: Suspendamos todo.
  1:00: Trasnoche Premium.

Mhz	Mhz
FM Radio Nacional 96.7	FM 100 99.9
FM Cultura Musical 100.3	LS10 Del Plata 95.1
FM Radio Show 100.7	FM Hit 105.5
F.M Cultura 97.9	FM Premium 103.5
FM Tango 92.7	FM Mega 98.3

1. el abuelo / 13:00

   El abuelo oye Radio Jazz.

2. Eva y Diana / 12:00

   Eva y Diana oyen Festival Premium.

3. yo / 14:00

   Yo oigo Divertimiento.

4. mi hermana / 18:00

   Mi hermana oye Música insólita.

5. mis amigos y yo / 20:00

   Mis amigos y yo oímos Colección Beethoven.

6. tú / 10:00

   Tú oyes La cantata del domingo.

7. Ángel / 1:00

   Ángel oye Trasnoche Premium.

10 ¿Qué traen?

Write complete sentences with the correct form of the verb *traer* to say what the following people bring to the party.

 MODELO

<u>Uds. traen los refrescos.</u>

1. yo

   Yo traigo el pan.
   _____

5. Rubén

   Rubén trae el pollo.
   _____

2. Eduardo

   Eduardo trae el equipo de sonido.
   _____

6. Sergio

   Sergio trae las cartas.
   _____

3. Anita y Carmen

   Anita y Carmen traen las sillas.
   _____

7. Pilar y yo

   Pilar y yo traemos la mesa.
   _____

4. tú

   Tú traes el hielo.
   _____

8. yo

   Yo traigo la olla y los frijoles.
   _____

11 La fiesta de Claudia

Complete the sentences with the preterite forms of the verbs in parentheses.

1. Claudia _____empezó_____ a organizar su fiesta hace tres semanas. (empezar)

2. Ella _____invitó_____ a veinte personas. (invitar)

3. Sus amigos le _____ayudaron_____ mucho. (ayudar)

4. Conchita _____dibujó_____ un mapa y lo _____envió_____ con las invitaciones. (dibujar, enviar)

5. Yo _____busqué_____ los ingredientes para la comida. (buscar)

6. Yo también _____saqué_____ los platos y los cubiertos para poner la mesa. (sacar)

7. Marcos y Norma _____prepararon_____ la cena. (preparar)

8. Alejandra _____limpió_____ y _____adornó_____ la sala. (limpiar, adornar)

9. Tú _____pasaste_____ la aspiradora y _____sacaste_____ la basura. (pasar, sacar)

10. Cuando las personas _____llegaron_____, yo _____colgué_____ sus abrigos. (llegar, colgar)

11. Después de comer, Marcos _____tocó_____ el piano. (tocar)

12. Yo _____empecé_____ a cantar y bailar. (empezar)

13. Luego, todas las personas _____cantaron_____ y _____bailaron_____. (cantar, bailar)

14. A la medianoche, nosotros _____buscamos_____ juegos. (buscar)

15. Claudia y unos amigos _____jugaron_____ a las cartas. (jugar)

16. Yo _____jugué_____ a las damas con Marcos. (jugar)

17. Después, tú _____alquilaste_____ unas películas. (alquilar)

18. Yo _____apagué_____ las luces y _____cerré_____ las ventanas. (apagar, cerrar)

19. Luego, nosotros _____miramos_____ películas toda la noche. (mirar)

12 Los quehaceres y yo

Look at the list of household chores. Write a paragraph telling if you do each chore sometimes, always or never *(a veces, siempre, nunca)*. End the paragraph by writing a conclusion as to how much you help around the house.

hacer la cama	poner la mesa	cocinar
arreglar el cuarto	recoger la mesa	doblar la ropa
pasar la aspiradora (o barrer)	lavar los platos	trabajar en el jardín

Answers will vary.

_____

_____

_____

_____

_____

_____

_____

_____

_____

_____

_____

_____

_____

_____

Lección B

1 Sopa de letras

Find and circle ten food items in the word square below. The words may read horizontally, vertically or diagonally.

```
A  S  P  P  E  C  H  U  G  A  Z
G  Y  I  E  Z  A  C  V  B  I  T
U  P  M  M  S  X  R  W  A  H  O
I  C  I  O  T  C  I  R  N  F  M
S  A  E  C  Y  H  A  P  O  E  A
A  Z  N  B  U  I  O  D  P  Z  T
N  J  T  A  O  Q  U  I  O  D  E
T  R  O  P  O  L  L  O  G  H  J
E  S  D  C  V  B  L  M  L  K  E
Z  E  A  G  U  A  C  A  T  E  P
```

2 Definiciones

Match each word with the corresponding definition. Write the letter of your choice in the space provided.

__E__ 1. lata   A. Tienda grande con comida.

__C__ 2. no maduro   B. Instrucciones para cocinar.

__B__ 3. receta   C. Verde.

__A__ 4. supermercado   D. Guisantes, pimientos, aguacates.

__D__ 5. verduras   E. Envase *(Container)*.

3 Comparaciones

Write comparing sentences, using *más… que* or *menos… que* and the words given. Make any necessary changes.

MODELO   fiestas / divertido / clases
<u>Las fiestas son más divertidas que las clases.</u>

1. sopa / caliente / ensalada **Possible answers:**

   La sopa es más caliente que la ensalada.

2. tomates rojos / maduro / tomates verdes

   Los tomates rojos son más maduros que los tomates verdes.

3. otoño / frío / invierno

   El otoño es menos frío que el invierno.

4. paella / dulce / postre

   La paella es menos dulce que el postre.

5. avión / rápido / tren

   El avión es más rápido que el tren.

6. levantarse el sábado / temprano / el lunes

   Me levanto el sábado menos temprano que el lunes.

7. ajo / grande / cebolla

   El ajo es menos grande que la cebolla.

8. perros / inteligente / gatos

   Los perros son más/menos inteligentes que los gatos.

9. ciencias / aburrido / matemáticas

   Las ciencias son más/menos aburridas que las matemáticas.

10. lechugas / fresco / guisantes en lata

    Las lechugas son más frescas que los guisantes en lata.

4 Tienen mucho en común

Read about Clara and Carlos, two twin siblings. Write complete sentences, using *tan/tanto… como* to summarize what they have in common.

> **MODELO** Clara tiene un cuarto grande. Carlos tiene un cuarto grande también.
> <u>El cuarto de Clara es tan grande como el cuarto de Carlos.</u>

1. Clara tiene muchos amigos. Carlos tiene muchos amigos también.

   Clara tiene tantos amigos como Carlos.

2. Clara es simpática. Carlos es simpático también.

   Clara es tan simpática como Carlos.

3. Clara tiene cien libros. Carlos tiene cien libros.

   Clara tiene tantos libros como Carlos.

4. Clara corre rápido. Carlos corre rápido también.

   Clara corre tan rápido como Carlos.

5. Clara juega al básquetbol todos los días. Carlos juega al básquetbol todos los días.

   Clara juega al básquetbol tanto como Carlos.

6. Clara es morena. Carlos es moreno.

   Clara es tan morena como Carlos.

7. Clara va a muchas fiestas. Carlos también va a muchas fiestas.

   Clara va a tantas fiestas como Carlos.

8. Clara ayuda con los quehaceres. Carlos ayuda con los quehaceres.

   Clara ayuda con los quehaceres tanto como Carlos.

9. Clara tiene cincuenta discos compactos. Carlos tiene cincuenta discos compactos.

   Clara tiene tantos discos compactos como Carlos.

5 Más comparaciones

Complete each sentence by singling out what is talked about. Follow the model.

MODELO Este supermercado es grande pero aquel supermercado es
<u>el supermercado más grande</u> de la ciudad.

1. El restaurante Orozco es bueno pero el restaurante Tamayo es <u>el mejor restaurante</u>

    _____ de la ciudad.

2. Manolo corre rápido pero René corre <u>lo más rápido</u>

    _____ posible.

3. Tú siempre lees bien pero hoy debes leer <u>lo mejor</u>

    _____ posible.

4. El Hotel Reyes es un hotel malo pero el Hotel Pulgas es <u>el peor hotel</u>

    _____ de la ciudad.

5. Teresa es una buena amiga pero Delia es <u>la mejor amiga</u>

    _____ del mundo.

6. Estas verduras están frescas pero aquellas verduras son <u>las verduras más frescas</u>

    _____ del mercado.

7. Julio dice que Madrid es una ciudad bonita pero Barcelona es <u>la ciudad más bonita</u>

    _____ de España.

8. Yo me levanto a las seis pero mañana tengo que levantarme <u>lo más temprano</u>

    _____ posible.

9. Esta película es bastante mala pero aquella película es <u>la peor película</u>

    _____ que alquilamos.

10. Tu plato está sucio pero mi plato es <u>el plato más sucio</u>

    _____ de la mesa.

6 Humberto y Rogelio

Complete each comparison with an appropriate expression from the list. Some expressions will be used more than once.

más de	más grande	más pequeña	más pequeño
mayor	menor	menos de	

Humberto tiene quince años. Rogelio tiene dieciséis años.

1. Humberto tiene _menos de_ dieciséis años pero

   más de catorce años.

2. Humberto es _menor_ que Rogelio.

3. Rogelio es _mayor_ que Humberto.

Hay ocho personas en la familia de Humberto. Hay cinco personas en la familia de Rogelio.

4. La familia de Humberto es _más grande_ que la familia de Rogelio.

5. La familia de Rogelio es _más pequeña_ que la familia de Humberto.

6. Hay un _mayor_ número de personas en la familia de Humberto.

7. Hay un _menor_ número de personas en la familia de Rogelio.

8. En la familia de Humberto, hay _más de_ de cinco personas.

9. En la familia de Rogelio, hay _menos de_ de ocho personas.

Humberto compró cinco aguacates. Rogelio compró diez aguacates.

10. Humberto compró un _menor_ número de aguacates que Rogelio.

11. Rogelio compró _más de_ cinco aguacates.

12. Humberto compró un número _más pequeño_ de aguacates.

7 En el supermercado

Imagine you work at a supermarket. Arrange the following foods by writing the name of each item in the appropriate space.

aceite *arroz* **carne** café **chorizo** *fresas* **habichuelas**
huevos jamón maíz leche mantequilla manzanas uvas
papas pimientos **plátanos** pollo queso **vinagre**
zanahorias naranjas

FRUTAS
uvas
naranjas
plátanos
fresas
manzanas

VERDURAS
maíz
papas
zanahorias
habichuelas
pimientos

leche
queso
mantequilla
huevos

café
aceite
vinagre
arroz

carne
pollo
chorizo
jamón

8 Categorías

Circle the word in each row that does not belong in the group.

1. jamón   carne   (arroz)   chorizo

2. fresa   naranja   plátano   (maíz)

3. agua   (queso)   jugo   leche

4. (huevos)   guisantes   habichuelas   pimientos

5. uvas   manzanas   fresas   (zanahorias)

6. queso   leche   (papa)   mantequilla

9 Actividad cultural

Write the name of each dish in the region of Spain where it originated.

paella   gazpacho   callos   pulpo a la gallega   bacalao al pilpil

España

1. **pulpo a la gallega**

2. **bacalao al pilpil**

Galicia

País
Vasco

Madrid

3. **callos**

Andalucía

Valencia

4. **paella**

5. **gazpacho**

10 La paella de Julián

Complete the following sentences with the preterite forms of the verbs in parentheses.

1. Julián __preparó__ paella valenciana. (preparar)

2. Nosotros lo __ayudamos__. (ayudar)

3. Yo __busqué__ la receta en la internet. (buscar)

4. Hernán y Laura __compraron__ los ingredientes en el mercado. (comprar)

5. Laura __cocinó__ el pollo y el pescado en aceite y ajo. (cocinar)

6. Hernán __lavó__ las verduras antes de añadirlas a la paella. (lavar)

7. Cuando la paella __terminó__ de cocinar, yo __apagué__ la estufa. (terminar, apagar)

8. ¿Por qué tú no __ayudaste__? (ayudar)

11 ¿Qué dieron?

Write complete sentences, saying what everyone gave to the food drive, based upon the drawing.

MODELO  Mariana

Mariana dio dos latas de guisantes.

1. yo __Yo di dos kilos de zanahorias.__

2. Esteban __Esteban dio tres latas de habichuelas.__

3. Jorge y Carmen __Jorge y Carmen dieron cinco kilos de arroz.__

4. nosotros __Nosotros dimos tres litros de leche.__

5. tú __Tú diste doce huevos.__

12 ¿Ya estuvieron allí?

You need to find out if the following people have already been to the main attractions in Madrid, Spain. Write questions, using a name or pronoun from the list, the preterite form of the verb *estar* and a place marked in the map. Follow the model.

MODELO ¿Ya estuvo Pedro en la Plaza de Oriente?

Pedro	tú	Carlos	nosotros
Víctor y Nuria	Paloma	Uds.	Sofía

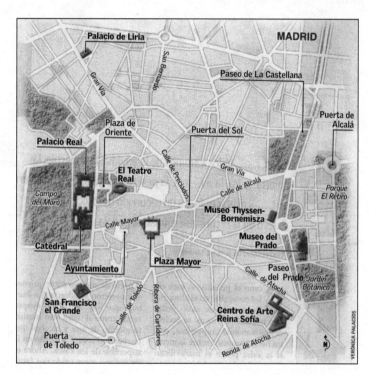

Answers will vary, but students should use the following verb forms:

1. ¿Ya estuviste tú en...?
   _____

2. ¿Ya estuvo Carlos en...?
   _____

3. ¿Ya estuvimos nosotros en...?
   _____

4. ¿Ya estuvieron Víctor y Nuria en...?
   _____

5. ¿Ya estuvo Paloma en...?
   _____

6. ¿Ya estuvieron Uds. en...?
   _____

7. ¿Ya estuvo Sofía en...?
   _____

13 Una conversación en el mercado

Create a dialog between the two friends in the illustration, who are at a market buying ingredients for a paella. Have them compare quality between produce and talk about what are the most important ingredients in a paella.

Answers will vary.

_____

_____

_____

_____

_____

_____

_____

_____

_____

_____

_____

Capítulo **9**

 Lección A

1 Crucigrama

Complete the following crossword puzzle.

	¹B	L	U	S	²A	S
					N	
³P	I	J	A	M	A	
I					R		⁴H		⁵T
E		⁶M	O	R	A	D	O		A
					N		M		C
⁷B					J		B		Ó
A			⁸M	A	R	R	Ó	N
Ñ					D		E
⁹R	O	S	A	D	O		S

Horizontal

1. Las camisas son para hombres y las _____ son para mujeres.
3. Para dormir, necesito un _____.
6. Rojo y azul hacen _____.
8. El chocolate es de color _____.
9. Rojo y blanco hacen _____.

Vertical

2. La zanahoria es de color _____.
3. Pongo el _____ en el zapato.
4. Compro una corbata en el departamento de ropa para _____.
5. La señorita tiene zapatos de _____.
7. Para ir a la playa, necesito un traje de _____.

2 Las partes del cuerpo

Look at the drawing and identify the parts of the body.

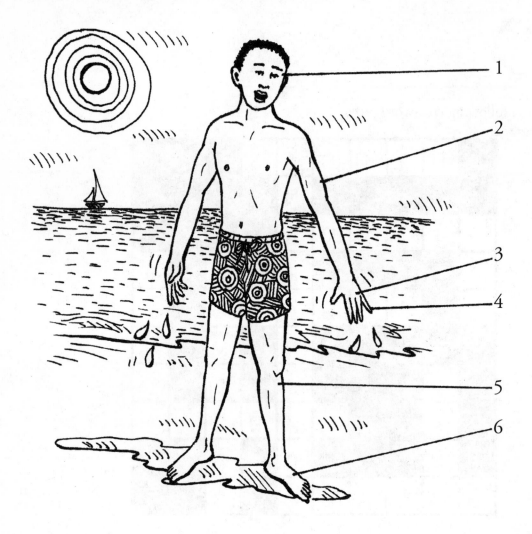

1
2
3
4
5
6

1. **la cabeza**
_____

2. **el brazo**
_____

3. **la mano**
_____

4. **el dedo**
_____

5. **la pierna**
_____

6. **el pie**
_____

3 Categorías

Circle the word in each row that does not belong in the group.

1. camisa   traje   (vestido)   corbata

2. verde   (algodón)   morado   marrón

3. zapato bajo   bota   zapato de tacón   (abrigo)

4. (blusa)   mano   pierna   cabeza

5. medias   (corbata)   blusa   vestido

6. traje de baño   ropa interior   pijama   (bota)

4 Panamá.com

The following Web page about Panama has some words missing. Complete it with the words from the list.

Atlántico   canal   Central   China   chocós   kunas   panameños   San Blas

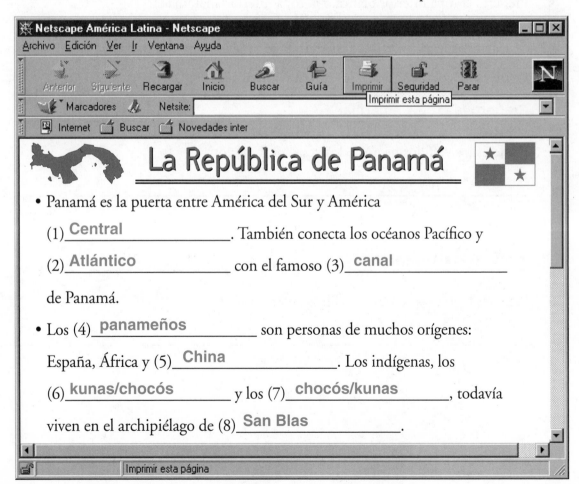

La República de Panamá

- Panamá es la puerta entre América del Sur y América

  (1)_Central_. También conecta los océanos Pacífico y

  (2)_Atlántico_ con el famoso (3)_canal_

  de Panamá.

- Los (4)_panameños_ son personas de muchos orígenes:

  España, África y (5)_China_. Los indígenas, los

  (6)_kunas/chocós_ y los (7)_chocós/kunas_, todavía

  viven en el archipiélago de (8)_San Blas_.

5 ¿Qué prefieres?

Complete the following survey about your preferences in clothes and colors. Answer each question, omitting the noun. Follow the model.

MODELO   ¿Prefieres las botas negras o las botas marrones?
             Prefiero las negras/las marrones.

1. ¿Prefieres los pijamas blancos o los pijamas rojos?

   Prefiero los blancos/rojos.
   _____

2. ¿Prefieres las camisas rosadas o las camisas azules?

   Prefiero las rosadas/azules.
   _____

3. ¿Prefieres los trajes de baño rojos o los trajes de baño negros?

   Prefiero los rojos/negros.
   _____

4. ¿Prefieres la ropa interior blanca o la ropa interior anaranjada?

   Prefiero la blanca/anaranjada.
   _____

5. ¿Prefieres las corbatas rojas o las corbatas amarillas?

   Prefiero las rojas/amarillas.
   _____

6. ¿Prefieres los vestidos negros o los vestidos morados?

   Prefiero los negros/morados.
   _____

7. ¿Prefieres los trajes azules o los trajes grises?

   Prefiero los azules/grises.
   _____

8. ¿Prefieres las blusas verdes o las blusas marrones?

   Prefiero las verdes/marrones.
   _____

Nombre: _____ Fecha: _____

6 En el departamento de ropa

Complete each sentence with the preterite tense of the verb in parentheses.

1. Álvaro _____pidió_____ dinero a sus padres. (pedir)

2. Los muchachos _____corrieron_____ a la sección de zapatos. (correr)

3. Las muchachas _____subieron_____ al segundo piso. (subir)

4. Nosotros _____vimos_____ mucha ropa bonita. (ver)

5. Josefina _____escogió_____ una blusa rosada de seda. (escoger)

6. Yo _____preferí_____ la camisa blanca de algodón. (preferir)

7. El señor Quiroga _____vendió_____ muchas botas. (vender)

8. Tú _____saliste_____ con un traje de baño, ¿verdad? (salir)

7 Otra vez

Rewrite the following sentences, replacing the words in italics with the words in parentheses. Make any necessary changes.

MODELO *Guillermo* durmió toda la tarde. (los muchachos)
Los muchachos durmieron toda la tarde.

1. *Mabel y yo* comimos en la cafetería. (tú)

   Tú comiste en la cafetería.

2. *Yo* pedí la sopa de pescado. (Mabel)

   Mabel pidió la sopa de pescado.

3. Después, *nosotros* corrimos por el parque. (yo)

   Después, yo corrí por el parque.

4. *Ella* prefirió montar en bicicleta. (Uds.)

   Uds. prefirieron montar en bicicleta.

5. *Mis padres* nos permitieron ir a España. (Mamá)

   Mamá nos permitió ir a España.
   _____

6. *Yo* aprendí a preparar paella. (nosotros)

   Nosotros aprendimos a preparar paella.
   _____

8 ¿Quién fue?

Imagine you work at a store and the boss has just returned from a trip. Answer her questions, using the cues in parentheses.

> **MODELO**   ¿Quién me escribió la carta? (nosotros)
> <u>Nosotros la escribimos.</u>

1. ¿Quién abrió la tienda? (Lorenzo)

   Lorenzo la abrió.
   _____

2. ¿Quién encendió las luces? (Magdalena)

   Magdalena las encendió.
   _____

3. ¿Quién pidió más camisas azules? (yo)

   Yo pedí más camisas azules.
   _____

4. ¿Quién salió de vacaciones? (Pablo)

   Pablo salió de vacaciones.
   _____

5. ¿Quién prefirió trabajar los sábados? (Iván y Tere)

   Iván y Tere prefirieron trabajar los sábados.
   _____

6. ¿Quién recogió la ropa? (nosotros)

   Nosotros la recogimos.
   _____

9 Comprar por catálogo

The following people ordered clothes through a catalog. Write complete sentences, saying what everyone ordered.

MODELO

José
José pidió botas.

1. Olga

   Olga pidió un abrigo (de lana).

4. Rubén y Rodrigo

   Rubén y Rodrigo

   pidieron guantes.

2. la Sra. Costas

   La Sra. Costas pidió

   un sombrero.

5. tú

   Tú pediste una chaqueta.

3. yo

   Yo pedí un suéter (de lana).

6. el Sr. Márquez

   El Sr. Márquez pidió un

   impermeable.

10 ¿Adónde fueron y qué hicieron allí?

Combine elements from each column to write seven complete sentences, saying where everyone went and what they did there. Follow the model.

MODELO   Germán fue a la biblioteca y sacó un libro.

Germán	la biblioteca	dar un paseo
nosotros	el cine	comprar ropa
yo	el parque	comer paella
Pamela	la piscina	sacar un libro
los muchachos	el mercado	mirar una película
tú	la tienda	bailar
Toño y David	la fiesta	comprar frutas
Sonia	el restaurante	nadar

Possible answers:

1. Nosotros fuimos al cine y miramos una película.

2. Yo fui al parque y di un paseo.

3. Pamela fue a la piscina y nadó.

4. Los muchachos fueron al mercado y compraron frutas.

5. Tú fuiste a la tienda y compraste ropa.

6. Toño y David fueron a la fiesta y bailaron.

7. Sonia fue al restaurante y comió paella.

11 La mejor fiesta

Complete the following paragraph with the preterite tense of the verbs *ser* and *ir*.

La fiesta del Club de Español (1) _fue_____ en la casa de la profesora Camacho.

Más de cuarenta estudiantes (2)_fueron_____ a la fiesta. Yo (3)_fui_____

la primera persona en llegar. Todos comieron y bailaron mucho. A la medionoche, nosotros

(4)_fuimos_____ a buscar más comida. ¡(5)_Fue_____ la mejor fiesta del año!

12 ¿Quieres ir?

Complete the following telephone conversation, using the words from the list.

algo   alguien   alguna   nada   nadie   ni   ninguna   tampoco

EDGAR: Hola, Luisa. ¿Vas a hacer (1)__algo_____ esta tarde o esta noche?

LUISA: No, no voy a hacer (2)__nada_____ ni esta tarde

(3)__ni_____ esta noche. ¿Por qué?

EDGAR: ¿Quieres ir de compras? Es el cumpleaños de Marta.

LUISA: ¿Es el cumpleaños de Marta? (4)__Nadie_____ me lo dijo.

EDGAR: A mí me lo dijo (5)__alguien_____ en la clase de español. ¿Quieres ir?

LUISA: Sí, pero no tengo (6)__ninguna_____ idea de qué comprarle. ¿Tienes tú

(7)__alguna_____ idea?

EDGAR: No, yo (8)__tampoco_____ sé qué comprar.

13 Lo contrario

Rewrite the following sentences to make them negative. Follow the model.

Busco a alguien. / <u>No busco a nadie.</u>

1. Tú siempre llevas guantes.

   __Tú nunca llevas guantes.__

2. Alguien debe hacerlo.

   __Nadie debe hacerlo./No debe hacerlo nadie.__

3. Quiero comprar algo.

   __No quiero comprar nada.__

4. Pedro también lo pidió.

   __Pedro tampoco lo pidió.__

5. Fue o Ana o Rosa.

   __No fue ni Ana ni Rosa.__

6. Algunos niños lo saben.

   __Ningún niño lo sabe.__

7. ¿Buscan alguna receta?

   __¿No buscan ninguna receta?__

14 De compras

Think about the last time you went shopping for clothes or shoes. Write a paragraph about it. Use the following questions as a guide.

- ¿Cuándo fuiste de compras? ¿Con quién fuiste?
- ¿Adónde fuiste? ¿Vas siempre allí?
- ¿Qué te gustó? ¿Qué no te gustó?
- ¿Compraste algo? ¿De qué color es? ¿Cómo te queda?

Answers will vary.

_____

_____

_____

_____

_____

_____

_____

_____

_____

_____

_____

_____

_____

_____

Lección B

1 Identifica

Look at the following drawing and identify the items that are labeled.

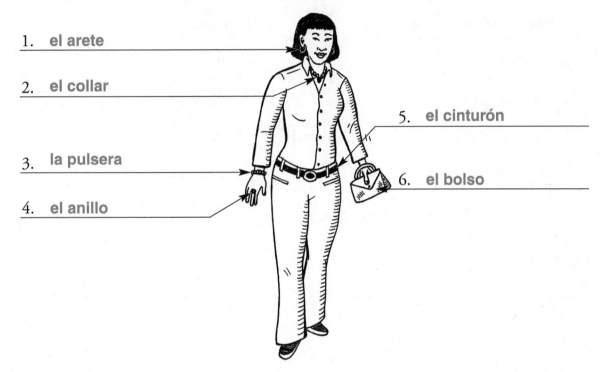

1. **el arete**

2. **el collar**

3. **la pulsera**

4. **el anillo**

5. **el cinturón**

6. **el bolso**

2 Completa

Complete the following sentences, using words from the list.

ascensor   billetera   cuero   joyas   larga   paraguas   perlas   regalos

1. Lleva un __paraguas__ porque va a llover.

2. Recibí muchos __regalos__ el día de mi cumpleaños.

3. Subo al décimo piso en un __ascensor__.

4. La bufanda no es corta; es __larga__.

5. Collares, pulseras y aretes son __joyas__.

6. El cinturón de Arturo es de __cuero__.

7. Tengo veinte dólares en mi __billetera__.

8. Compramos un collar de __perlas__.

3 Materiales

Of what materials can the following items be made? Circle the two most likely materials in each row.

MODELO chaqueta: (cuero) (lana) plata

1. cinturón: (material sintético) perlas (cuero)
2. arete: (oro) (plata) algodón
3. pañuelo: (seda) oro (algodón)
4. blusa: plata (algodón) (seda)
5. bolso: oro (cuero) (material sintético)
6. collar: (perlas) seda (oro)

4 Ecuador

Decide whether the following statements about Ecuador are *cierto* o *falso*. Write **C** or **F** in the space provided.

__C__ 1. Ecuador está cerca del océano Pacífico.

__C__ 2. El ecuador pasa por Ecuador.

__F__ 3. La capital de Ecuador es Guayaquil.

__F__ 4. Quito está lejos de los Andes.

__C__ 5. Las Islas Galápagos es un parque nacional en el océano Pacífico.

__F__ 6. Ecuador era parte *(was part)* del imperio maya.

__C__ 7. Ecuador declaró su independencia de España en 1809.

5 Diminutivos

Complete the following conversation with the diminutive forms of the words in parentheses.

Possible answers:

PAPÁ: Hola, (1)___hijita_____. (hija)

SILVIA: Hola. ¿Quieres un (2)___cafecito_____? (café)

PAPÁ: Sí, un (3)___poquito_____. (poco)

SILVIA: Aquí tienes: café y un (4)___pancito_____. (pan)

PAPÁ: Gracias, (5)___Silvita_____. (Silvia)

6 Lo siento

Alicia wrote a letter of apology to Rodrigo. Complete it with the preterite forms of the verb *tener*.

Querido Rodrigo,

Siento mucho que mi familia y yo no fuimos a tu fiesta.

Mis padres (1)___tuvieron_____ que trabajar. Paola

(2)___tuvo_____ que estudiar para un examen y yo

(3)___tuve_____ que ir al dentista. Luego esa

noche, Paola y yo (4)___tuvimos_____ que cocinarle

a mi abuelita. Sé que (5)___tuviste_____ una

buena fiesta, Rodrigo. Te prometo ir a la próxima.

Tu amiga,

Alicia

7 ¿Qué vieron?

Look at the following schedule for the TV station Telemadrid. Write complete sentences, using the preterite of the verb *ver* to say what the following people watched at the given times.

MODELO   Rubén / 14:00
            <u>Rubén vio Telenoticias.</u>

1. Nora / 9:45

   <u>Nora vio En acción.</u>

   _____

2. tú / 12:10

   <u>Tú viste El príncipe de Bel-Air.</u>

   _____

3. Hugo y Marco / 19:30

   <u>Hugo y Marco vieron Fútbol es fútbol.</u>

   _____

4. nosotros / 3:20

   <u>Nosotros vimos Starsky y Hutch.</u>

   _____

5. Gloria / 14:00

   <u>Gloria vio Telenoticias.</u>

   _____

6. yo / 10:30

   <u>Yo vi Cyberclub.</u>

   _____

TELEMADRID

7.45 Documental: carreras asombrosas.
8.15 Los hombres de Harrelson.
9.00 Telenoticias sin fronteras.
9.45 En acción.
10.30 Cyberclub.
11.20 Shin Chan.
12.10 El príncipe de Bel-Air.
13.00 En pleno Madrid. Espacio de debate. «Presupuestos 2003: en qué se gastará nuestro dinero el Gobierno».
14.00 Telenoticias.
15.30 Cine de tarde. «Street Fighter: la última batalla». EE.UU. 1994. 108 min. Dir: Steven E. de Souza. Int: Raul Julia, Jean Claude Van Damme y Damian Chapa. Un hombre, Bison, quiere conquistar el mundo. Para ello, contrata a una serie de poderosos luchadores para que, por medio de la extorsión, llegar a lo que se propone.
17.35 Cine: una comedia. «Bitelchús». EE.UU. 1988. 92 min. Dir: Tim Burton. Int: Alec Baldwin, Geena Davis y Michael Keaton.
19.30 Fútbol es fútbol.
21.35 Cine: el megahit. «Dogma». EE.UU. 1999. 133 min. Dir: Kevin Smith. Int: Ben Affleck, Matt Damon y Linda Fiorentino. Dos ángeles caídos intentan retornar al cielo. Pero si logran su objetivo eliminarán a toda la raza humana.
0.10 Cine.es. «El día de la bestia». España. 1995. 103 min. Dir: Álex de la Iglesia. Int: Santiago Segura, Álex Angulo y Armando de Razza. Después de 25 años de estudiar el Apocalipsis de San Juan, el cura ángel Berriatua tiene la certeza de que el Anticristo nacerá el 25 de diciembre de 1995.
2.00 Cine: la noche de terror. «La Galaxia del terror». EE.UU. 1981. 78 min. Dir: B.D. Clark. Int: Ray Walston, Grace Zabriskie y Edward Albert, Jr.
3.20 Starsky y Hutch. «Los rehenes».
4.05 Pasados de vuelta.
4.30 Programación de laOtra.
6.30 Información Cultural CAM.

8 ¿Qué hicieron?

What did Sergio's friends do to throw him a surprise birthday party? Write complete sentences, using the cues and the preterite forms of the verb *hacer*.

MODELO   Beatriz / una lista
<u>Beatriz hizo una lista.</u>

1. Manolo / una paella

   Manolo hizo una paella.

2. yo / el postre

   Yo hice el postre.

3. Carolina y Marta / un jugo

   Carolina y Marta hicieron un jugo.

4. tú / una lista de juegos

   Tú hiciste una lista de juegos.

5. Norma / los adornos

   Norma hizo los adornos.

6. Luis / un dibujo cómico de Sergio

   Luis hizo un dibujo cómico de Sergio.

7. nosotros / muchas cosas

   Nosotros hicimos muchas cosas.

8. José y David / nada

   José y David no hicieron nada.

9 ¿Qué sección dijeron que leyeron?

Summarize what section of the newspaper everyone said they read this morning. Look at the newspaper guide and choose a different section for each person. Use the preterite forms of the verbs *decir* and *leer*. Follow the model.

MODELO   Rocío
Rocío dijo que leyó la sección de deportes.

ÍNDICE			
EDITORIALES	11	CULTURA/ESPEC	52
OPINIÓN	12	CARTELERA	60
CARTAS	14	ESQUELAS	63
NACIONAL	16	CLASIFICADOS	66
INTERNACIONAL	32	ECONOMÍA	67
AGENDA	43	DEPORTES	72
LOTERÍA	43	GENTE	80
SORTEOS	43	PASATIEMPOS	82
TIEMPO	44	HORÓSCOPO	82
SOCIEDAD	46	TV/RADIO	83

Answers will vary but should include the following verb forms:

1. Rebeca y María

   Rebeca y María dijeron que leyeron....
   _____

2. yo

   Yo dije que leí....
   _____

3. Carlos

   Carlos dijo que leyó....
   _____

4. Uds.

   Uds. dijeron que leyeron....
   _____

5. Sarita

   Sarita dijo que leyó....
   _____

6. nosotros

   Nosotros dijimos que leímos....
   _____

7. tú

   Tú dijiste que leíste....
   _____

10 Correo electrónico

Complete Alejandra's e-mail with the preterite forms of the words from the list. One word is used more than once.

abrir	comprar	decir	empezar	ir
leer	oír	subir	ver	

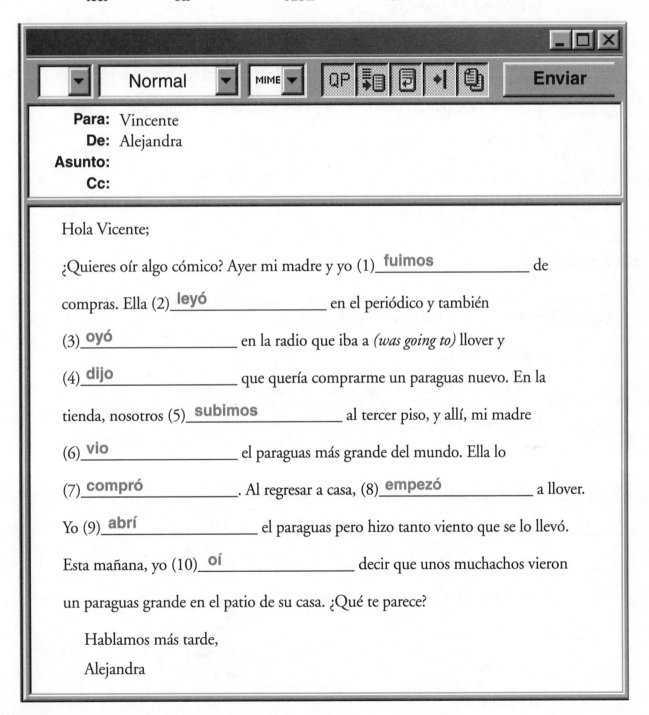

Hola Vicente;

¿Quieres oír algo cómico? Ayer mi madre y yo (1)__fuimos__ de

compras. Ella (2)__leyó__ en el periódico y también

(3)__oyó__ en la radio que iba a *(was going to)* llover y

(4)__dijo__ que quería comprarme un paraguas nuevo. En la

tienda, nosotros (5)__subimos__ al tercer piso, y allí, mi madre

(6)__vio__ el paraguas más grande del mundo. Ella lo

(7)__compró__. Al regresar a casa, (8)__empezó__ a llover.

Yo (9)__abrí__ el paraguas pero hizo tanto viento que se lo llevó.

Esta mañana, yo (10)__oí__ decir que unos muchachos vieron

un paraguas grande en el patio de su casa. ¿Qué te parece?

Hablamos más tarde,

Alejandra

11 Preguntas y respuestas

Match the questions on the left with the most appropriate response on the right. Write the letter of your choice in the space provided.

__F__ 1. ¿Dónde pago?   A. No, porque pagué con tarjeta de crédito.

__C__ 2. ¿Cómo va a pagar?   B. Para cambiar algo.

__B__ 3. ¿Para qué necesito el recibo?   C. En efectivo.

__E__ 4. ¿Te gusta el bolso?   D. Está en oferta. Cuesta veinte dólares.

__H__ 5. ¿Quién me puede ayudar?   E. Sí, es de buena calidad.

__D__ 6. ¿Cuánto cuesta el cinturón?   F. En la caja.

__A__ 7. ¿Te dieron cambio?   G. Está muy caro.

__G__ 8. ¿Por qué no lo compras?   H. El dependiente.

12 De compras

Unscramble the following dialog between a shopper and a clerk. Number the sentences in a logical order. The first one has been done for you.

__8__ ¿Cómo va a pagar?

__1__ Buenas tardes. Busco un regalo para mi madre.

__2__ ¿Qué tal este perfume?

__6__ Este bolso está en oferta especial. Sólo cuesta veinticinco dólares.

__10__ Aquí tiene cinco dólares de cambio y su recibo.

__3__ ¿Cuánto cuesta?

__5__ Está muy caro. ¿No tiene algo más barato?

__7__ Es bonito y de buena calidad. Bueno, lo compro.

__4__ Cuarenta dólares.

__11__ Muchas gracias.

__9__ En efectivo.

13 ¿Con quién?

Belinda wants to know with whom everyone went shopping. Answer her questions affirmatively, using the appropriate pronouns.

MODELO   ¿Con quién fue Silvia? ¿Con Elena?
              Sí, fue con ella.

1. ¿Con quién fue Lucas? ¿Con Nicolás?

   Sí, fue con él. _____

2. ¿Con quién fueron tus hermanos? ¿Contigo?

   Sí, fueron conmigo. _____

3. ¿Con quién fue Sofía? ¿Con su madre?

   Sí, fue con ella. _____

4. ¿Con quién fue David? ¿Con Olga y Cristina?

   Sí, fue con ellas. _____

5. ¿Con quién fueron Fernando y Anabel? ¿Conmigo?

   Sí, fue contigo. _____

6. ¿Con quién fuiste tú? ¿Con Miguel y Pedro?

   Sí, fui con ellos. _____

7. ¿Con quién fue Mónica? ¿Con Anabel y conmigo?

   Sí, fue con Uds. _____

8. ¿Con quién fueron tus amigos? ¿Con Miguel y contigo?

   Sí, fueron con nosotros. _____

14 En el Mall del Sol

Imagine you are shopping in Mall del Sol, in Guayaquil, Ecuador. Create a dialog between you and the clerk, using the cues provided.

DEPENDIENTE *(greets you)*: **Answers will vary.**

_____

TÚ *(greet back and say you are looking for a gift)*:

_____

DEPENDIENTE *(suggests a gift appropriate for a woman)*:

_____

TÚ *(say it is a gift for a man)*:

_____

DEPENDIENTE *(suggests something else)*:

_____

TÚ *(ask how much it is)*:

_____

DEPENDIENTE *(says a price)*:

_____

TÚ *(say it is too expensive)*:

_____

DEPENDIENTE *(suggests something on sale)*:

_____

TÚ *(say you will buy it)*:

_____

DEPENDIENTE *(asks how you are going to pay for it)*:

_____

TÚ *(say you are going to use a credit card)*:

_____

Capítulo 10

Lección A

1 Deportes y pasatiempos

Everyone did something fun this year. Look at the drawing and write what each person played or did. Follow the model.

MODELO

Sebastián
Sebastián jugó al básquetbol.

1.   Armando

Armando montó en patineta.

_____

2.   nosotros

Nosotros jugamos al fútbol

americano.

3.   Paula y Ana

Paula y Ana jugaron

a las damas.

4.   yo

Yo jugué al voleibol.

_____

5.   tú

Tú esquiaste.

_____

6.   Gabriela

Gabriela hizo aeróbicos.

2 Perú

Choose the correct completion for each statement about Peru.

1. Perú está cerca del océano…   (A. Pacífico.)   B. Atlántico.

2. Perú fue el centro del imperio…   A. azteca.   (B. inca.)

3. Los españoles fueron a Perú por…   (A. el oro y la plata.)   B. las perlas.

4. La capital de Perú es…   A. Cuzco.   (B. Lima.)

5. 30% de los peruanos viven en…   A. Ecuador.   (B. Lima.)

6. Una de las universidades más viejas   (A. San Marcos.)   B. Los Andes.

    del mundo es la Universidad de…

3 Un viaje al Perú

Complete the following paragraph with the preterite forms of the verbs from the list.

comprar   dar   enviar   estar   ir   parecer   recibir   tomar

> Querido Hugo,
>
> Acabo de estar en Perú. (1) **Estuve** _____ allí diez días.
>
> (2) **Fui** _____ a Lima, Cuzco y Machu Picchu. En Lima,
>
> (3) **di** _____ un paseo por Playa Agua Dulce. En
>
> Cuzco, te (4) **compré** _____ un suéter de lana de color rojo.
>
> De allí, (5) **tomé** _____ un tren a Machu Picchu. ¡Machu Picchu
>
> me (6) **pareció** _____ estupendo! Te (7) **envié** _____
>
> muchas fotos de ese lugar mágico. ¿Las (8) **recibiste** _____?
>
> Tu amiga,
> Daniela

4 Escuela de idiomas

Do you think that learning a new language is important? Look at the following ad for a language school and answer the questions.

1. ¿Cómo se llama la escuela?

   Se llama Academia Europea.

2. ¿Qué dice que es vital?

   Dice que es vital hablar otro idioma.

3. ¿Qué idiomas puedes aprender allí?

   Puedes aprender inglés, francés, alemán, italiano y español.

4. ¿En cuánto tiempo puedes aprender español?

   Puedes aprender español en cuatro meses.

5. ¿De cuántas horas son las clases de lunes a jueves?

   Las clases de lunes a jueves son de dos horas.

5 ¿Qué tienen que hacer?

Everyone is busy this afternoon. Look at the drawings and write what everyone has to do. Follow the model.

MODELO Clara
Clara tiene que ir al dentista.

1. yo

Yo tengo que jugar al béisbol.

_____

2. Jorge

Jorge tiene que estudiar/hacer

las tareas.

3. Gloria

Gloria tiene que

arreglar/limpiar su cuarto.

4. nosotros

Nosotros tenemos que

cocinar/preparar la comida.

5. Pepe

Pepe tiene que hacer la maleta.

_____

6. Liliana

Liliana tiene que darle de comer

al gato.

7. Eva y Julio

Eva y Julio tienen que

comprar/ir al supermercado.

8. tú

Tú tienes que sacar la basura.

6 Sopa de letras

Find and circle seven school subjects in the word square below. The words may read horizontally, vertically or diagonally.

M	H	T	G	M	H	Ó	A	L	B	S
A	E	I	B	I	R	I	R	Y	I	U
T	R	S	S	N	X	P	T	J	O	Z
E	Q	U	P	T	C	K	E	Z	L	Ó
M	U	Í	T	A	O	W	O	Á	O	P
Á	L	P	H	F	Ñ	R	D	R	G	A
T	I	É	R	T	Y	O	I	I	Í	M
I	Z	X	C	V	B	N	L	A	A	A
C	O	M	P	U	T	A	C	I	Ó	N
A	R	Q	F	Í	S	X	Á	O	N	B
S	T	R	I	N	G	L	É	S	É	I

7 Comparando clases

Complete the following comparisons with the school subjects of your choice.

MODELO   <u>Biología</u> es la clase más divertida.   **Answers will vary.**

1. _____ es más interesante que _____.

2. _____ es más aburrida que _____.

3. _____ es menos fácil que _____.

4. _____ es tan difícil como _____.

5. _____ fue la mejor clase del año.

6. _____ fue la peor clase del año.

8 ¿Qué hicieron el jueves?

Many people went out on Thursday. Answer the questions about what they did, based on the information found in the following entertainment guide.

1. Augustín escuchó un concierto acústico. ¿Adónde fue?

   Fue al Jazz Café.

   _____

2. Nosotros fuimos a la Sala Garbo. ¿Qué vimos?

   Vieron la película *El jardín de la Alegría*.

   _____

3. Mauricio y Cecilia fueron a La Casa de la Urraca. ¿Qué escucharon?

   Escucharon música cubana.

   _____

4. Yo vi arte del grupo Nueva Acrópolis. ¿Adónde fui?

   Fuiste al Museo de los Niños.

   _____

5. Clara fue al concierto de Inconsciente Colectivo. ¿Cuánto costó?

   Costó mil quinientos.

   _____

6. ¿A qué hora empezó el concierto del grupo Chocolate?

   Empezó a las diez de la noche.

   _____

9 Todos aprendieron algo

What did everyone learn to do this past year? Combine elements from each column and use the preterite tense of the verb *aprender* to write ten complete sentences.

MODELO   Flor aprendió a preparar paella.

Flor	tocar	al ajedrez
yo	montar	la cumbia
Carlota	jugar	a caballo
Juan y Pablo	leer	por Internet
tú	ahorrar	paella
mis primos	navegar	una motocicleta
nosotros	preparar	el piano
Gerardo	patinar	un aguacate maduro
Rita y Tere	arreglar	en español
Adolfo y yo	escoger	dinero
mi mejor amigo	bailar	sobre ruedas

Answers will vary. Sample answers:

1. Yo aprendí a tocar el piano.

2. Carlota aprendió a montar a caballo.

3. Juan y Pablo aprendieron a jugar al ajedrez.

4. Tú aprendiste a leer en español.

5. Mis primos aprendieron a ahorrar dinero.

6. Nosotros aprendimos a navegar por Internet.

7. Gerardo aprendió a patinar sobre ruedas.

8. Rita y Tere aprendieron a arreglar una motocicleta.

9. Adolfo y yo aprendimos a escoger un aguacate maduro.

10. Mi mejor amigo aprendió a bailar la cumbia.

10 Este año fue...

Think about this school year. Write one or two paragraphs about it. Describe the classes you took. Say some things you did with your friends. Mention one or two things you learned to do. Conclude by saying if it was a better or worse year than last year.

Answers will vary.

_____

_____

_____

_____

_____

_____

_____

_____

_____

_____

_____

_____

_____

Lección B

1 De viaje

The following people are looking for travel buddies. Read the ads and then decide if the statements that follow are true *(cierto)* or false *(falso)*. Write **C** or **F** in the space provided.

Compañeros de ruta

Argentina

■ Busco compañeros de ruta para realizar paseos en bicicleta por Buenos Aires. Nos reunimos los sábados, a las 17, en 11 de Septiembre y Echeverría, en Belgrano. Escribir a: *marceloalejandro32@hotmail.com*

■ Mi nombre es Pablo y estoy armando un viaje al norte argentino en moto. Busco compañera de ruta para compartir el viaje y la experiencia. Escribir a: *pablopio20@hotmail.com*

■ Tengo 25 años, soy Federico y con un amigo estamos planeando un viaje de mochileros para el verano. El lugar elegido es Mendoza (Cañón del Atuel) y también Bariloche. Pensábamos sumar a alguien más. Escribir a: *fricofontan@hotmail.com*

■ Mi nombre es Diego, soy rosarino y estoy armando un viaje por el Sur para el verano. Busco compañero de ruta de entre 18 y 25 años, tipo mochilero. Escribir a: *diegoe25@hotmail.com*

■ Soy Pablo, tengo 24 años y busco compañeros de ruta para viajar a fines de este mes hacia los Valles Calchaquíes, en Salta. La idea es compartir una buena experiencia, hacerse amigos y ahorrar gastos. Escribir a: *pabloiglesias1@hotmail.com*

Europa

■ Me llamo Daniel, tengo 56 años y busco compañía con buena onda para viajar a España, Portugal y Marruecos. Escribir a: *lbecontabilidad@arnet.com.ar*

■ Tengo 45 años y busco compañeros de ruta para viajar a al sur de España, para visitar Córdoba, Sevilla y Granada. Me llamo Alejandro. Escribir a: *alejantulo@hotmail.com.ar*

___F___ 1. Los paseos en bicicleta por Buenos Aires son los domingos.

___C___ 2. Pablo va a ir al norte de Argentina en moto.

___F___ 3. Federico y un amigo quieren ir a España.

___C___ 4. Diego busca un compañero de ruta entre 18 y 25 años.

___C___ 5. A Pablo le gustaría compartir una buena experiencia con nuevos amigos.

___F___ 6. A Daniel le gustaría viajar al sur de Argentina.

___C___ 7. Alejandro piensa viajar al sur de España.

2 Ahora tú

Now it is your turn to write an ad for a travel friend. Imagine you can travel to a Spanish-speaking country this summer. First, answer the following questions. Then, use the information in your answers and the outline below to write your ad.

1. ¿Adónde vas a viajar y cuándo?

    _____

2. ¿Qué medio de transporte piensas usar?

    _____

3. ¿Con quién te gustaría compartir esta experiencia?

    _____

> Me llamo... Tengo ... años.
> Busco compañeros de ruta
> para viajar a... en... Vamos a
> salir el... y volver el... Me
> gustaría conocer personas
> que son... Escribir a...

Answers will vary.

_____

_____

_____

_____

_____

_____

_____

3 Guatemala

Complete the following crossword with facts about Guatemala.

Horizontal

4. _____ es una ciudad colonial.
5. Los mayas estudiaron astronomía, arquitectura y _____.
7. La cultura _____ es visible en Guatemala.

Vertical

1. La capital de Guatemala es la Ciudad de _____.
2. Pedro de _____ conquistó Guatemala en 1524.
3. El _____ es el idioma maya más común en Guatemala.
6. En _____ hay ruinas de una gran ciudad maya.

4

Oportunidades

If you are bilingual in English and Spanish, you could work in a Spanish-speaking country. Here are some ads taken from newspapers in Latin America. Write the number of the ad next to the name of the profession in Spanish.

_____1_____ secretaria   _____3_____ profesor de inglés   _____2_____ agente de turismo

MULTINATIONAL COMPANY Seeks PRESIDENTIAL ASSISTANT

- Five-year experience in managerial or presidential secretary position in multinational companies.
- Bilingual Spanish-English
- Perfect knowledge of Windows & Office software
- Excellent planning an interpersonal skills as well as time management.

WE OFFER: Excellent compensation benefits according to law, professional development and good working environment.

If you fulfill the requirements, please send your C.V. with photo to EL TIEMPO post box No. 6739.

1.

COAST TO COAST ADVENTURES

Travel Agent / Tour Operator
Reservations

- Bilingual written & spoken (Spanish / English)
- Use of e-mail and Microsoft programs
- Good public relations skills
- Able to work from **Monday to Friday half a day**
- Salary: ¢85.000 monthly
- Experience in this position (at least a year)

Send your resume via fax: 225-6055

2.

International Company
Requires

English Teacher or Academic Advisors

Ages between 20-45, great appeareance, experience living in a foreign country and able to work inmediatly.

Transversal 18 No. 101-21

3.

Think of two other professions that would require bilingual skills: **Possible answers:**

diplomat and interpreter

_____

_____

5 ¿Qué profesión?

Read what the following people like to do. Then write what his or her profession should be. Follow the model.

MODELO BETO: Me gustaría enseñar español.
TÚ: <u>Pienso que debes ser maestro.</u>

| arquitecto | artista | banquera | cocinero | dentista |
| programadora | maestro | médica | veterinaria | |

1. ARTURO: Me gustaría diseñar casas.

   TÚ: **Pienso que debes ser arquitecto.**

2. MATILDE: Me gustaría programar computadoras.

   TÚ: **Pienso que debes ser programadora.**

3. FERNANDO: Me gustaría dibujar y pintar.

   TÚ: **Pienso que debes ser artista.**

4. LORENA: Me gustaría trabajar con animales.

   TÚ: **Pienso que debes ser veterinaria.**

5. YOLANDA: Me gustaría trabajar en una clínica.

   TÚ: **Pienso que debes ser médica.**

6. GERMÁN: Me gustaría cocinar para muchas personas.

   TÚ: **Pienso que debes ser cocinero.**

7. ROXANA: Me gustaría trabajar en un banco.

   TÚ: **Pienso que debes ser banquera.**

8. ROBERTO: Me gustaría arreglar dientes.

   TÚ: **Pienso que debes ser dentista.**

6 Color y personalidad

Do you think colors define personality? Look at the following Web page and answer the questions that follow.

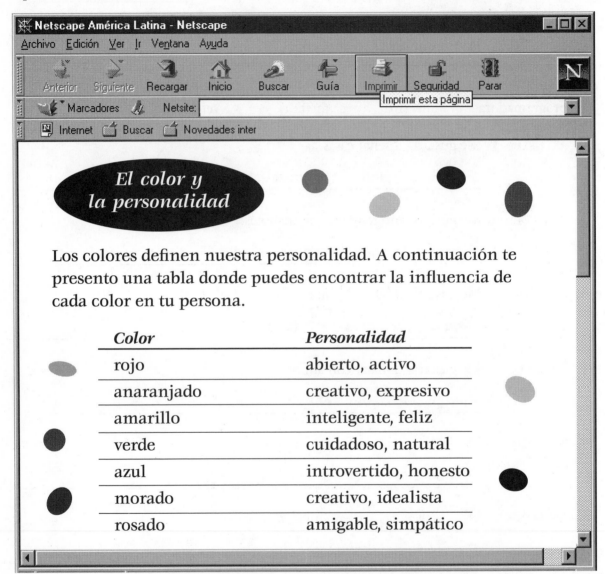

1. Escoge tu color favorito de la página Web. ¿Cuál es?   **Answers will vary.**

   _____

2. ¿Qué dice la página Web sobre cuál es tu personalidad?

   _____

3. ¿Es esa tu personalidad? Si no, ¿cómo eres?

   _____

7 ¿Cómo es?

Complete the following sentences, using words from the list.

ambiciosa   aventurero   creativo   generosa   guapa
honesto   organizado   popular   rico

1. Franco es _honesto_____. Siempre dice la verdad.

2. El Sr. Soles tiene mucho dinero en el banco. Él es _rico_____.

3. Mi amiga no es fea; es _guapa_____.

4. Consuelo es _ambiciosa_____; quiere ser presidente de los Estados Unidos.

5. Javier es muy _creativo_____. Le gusta pintar y escribir poemas.

6. A Ernesto le gusta viajar mucho; es muy _aventurero_____.

7. Amalia es _popular_____. Ella tiene muchos amigos.

8. Eugenia es _generosa_____. Siempre comparte sus cosas.

9. Tomás siempre pone todo en su lugar; es muy _organizado_____.

8 Este verano

What are you doing this summer? Are you going to work? Are you going to travel? Write one or two paragraphs about your plans for this summer. Include what you have to do as well as things you would like to do. **Answers will vary.**

_____

_____

_____

_____

_____

_____

_____

_____

_____

_____

_____

_____